高等教育美术专业与艺术设计专业

公共装饰艺术设计

GONGGONG ZHUANGSHI YISHU SHEJI

田晓冬 著

西南交通大学出版社

·成都·

内 容 简 介： 随着世界的进步和各国城市的发展，"公共艺术"已极大地促进了各国和各地区的文化繁荣。公共艺术，也就是人们所说的"艺术生活化的延伸。"《公共装饰艺术设计》是一本伴随当代城市发展的公共艺术设计专业的指导教材。教材结合了大量国内外优秀案例，并且同作者本人近年来的实践案例相结合，详尽地解析和示范了本学科的关键点，具有一定的创新性和前沿性。

　　《公共装饰艺术设计》是一本适合高等艺术院校公共艺术专业、建筑学、城市规划、环境艺术、景观学、雕塑等专业学生的学习教材，也可为相关的艺术设计工作者及爱好者提供一些创作思路。

图书在版编目（CIP）数据

公共装饰艺术设计 / 田晓冬著 . —成都：西南交通大学出版社，2015.11

高等教育美术专业与艺术设计专业"十三五"规划教材

ISBN 978-7-5643-4394-1

Ⅰ . ①公… Ⅱ . ①田… Ⅲ . ①装饰设计—高等学校—教材 Ⅳ . ① J525

中国版本图书馆 CIP 数据核字（2015）第 269340 号

高等教育美术专业与艺术设计专业"十三五"规划教材

公共装饰艺术设计

田晓冬　　著

责任编辑	杨　勇
特邀编辑	李秀梅
封面设计	姜宜彪

出版发行	西南交通大学出版社 （四川省成都市金牛区交大路 146 号）
发行部电话	028-87600564　028-87600533
邮政编码	610031
网　　址	http://www.xnjdcbs.com
印　　刷	河北鸿祥印刷有限公司
成品尺寸	185 mm × 260 mm
印　　张	9.5
字　　数	146 千字
版　　次	2015 年 11 月第 1 版
印　　次	2016 年 5 月第 1 次
书　　号	ISBN 978-7-5643-4394-1
定　　价	49.50 元

前　言

　　"公共艺术"是随着城市的发展进程而营造的一门新兴的艺术类的学科，它是为构建和谐、生态社会而设立的集人文、艺术、工艺和技术为一体的最新表现形式。随着科技的不断进步，虚拟空间的不断延伸，人与人之间的感情表面上看起来似乎逐渐淡薄，但人们的依赖和情感释放的需求其实越来越强，时代需要一些能够承载群体共识的文化元素或符号作为人们交流的桥梁。快节奏和高效率是当今社会的主要表现形式，而信息更多的是通过图形化的符号来传递的。在这种时代背景下，公共艺术中的装饰艺术得到了新发展。

　　艺术本身是轻松、愉快的事情。公共装饰艺术的目的就是通过艺术家的双手给大众生活带来乐趣，带来对美好生活的憧憬。设计人员在拥有一定的艺术设计专业基础之后，其艺术设计作品更多地来自于设计人员悟性的生成及自我意识形态的拔高。因此，本书结合一定实战技术的演练案例，使读者了解艺术设计制作过程的主要环节以及对材料如何的运用。人性化的个性设计与不同材质的共同运用，既可以充分地、针对性地表现不同公共场所各自的内在特点，又可以将实用功能与艺术审美相结合，更好地为广大群众服务。艺术设计的特色在于设计师个性化的独特视角以及材料质感的不同运用，所以本书也专门谈及了设计人员的艺术素养在设计制作中的重要性，从而为广大读者在学习专业技能的同时提高艺术鉴赏能力提供一定的帮助，这也是本书的独特之处。设计人员只有不断地提高审美能力，才能使设计出的公共环境具有高雅的品位以及一定的人文关怀，从而突出公共装饰艺术的独特作用。公共艺术是调合城市文化的有利方式，在处理环境整体性的互动上表现出更多的包容性和审美性。公共装饰艺术设计的多变造型适合现代建筑环境多样化的要求，因而具有广泛的发展前景。

　　本书一方面对个别案例进行从材料到技法和设计思路的全面分析，另一方面对设计理论进行一定深度的剖析，既具有非常实用的指导意义，又有对于设计思维的深度思考。

　　书中除了分析介绍一些教师和学生、国内外设计师以及编者工作室部分作品外，还有一部分作品和案例选自一些精美图书，因涉及资料较多，无法与各位作者取得联系并一一列明出处，在此特向原作者和出版社表示真挚的歉意和深深的谢忱。

田晓冬

2015 年 8 月于南京

目录

第1章 公共装饰设计解释

1.1 公共装饰艺术设计的理念、特性、性能

公共装饰艺术设计，就是针对大众的，既结合设计师自己的思想创意，又能让大众认可的一种能给人带来美感的艺术，它是人们追求美的理想，表现精神世界的一种艺术形式。它与建筑相结合的内容与表现手法形成有机的和谐统一体，丰富了艺术的表现形式。

公共装饰艺术设计的内容可以从两个方面来理解：一是精神方面的内容，如装饰、形式、符号、纹样所表现的形式内容，一些抽象、寓意、象征的内容也包括在内，如早期的壁画、浮雕、圆雕等依附在建筑之上的内容；二是物质性方面的内容，它是结构和功能的表现，也就是说将装饰内化到结构中。20世纪初的包豪斯设计，强调抛弃一切没必要的、过多的装饰，只注重结构的合理性，其实包豪斯的建筑设计从另一个角度来理解就是将装饰内化到结构中，通过几何形状的规则化设计给人以另一种视觉效果。公共装饰艺术最早脱胎于古代壁画（图1-1-1至图1-1-5），后经不断演变，成为贵族阶层奢华享乐以及宣传宗教的工具，直到工业化进程不断演进，民主意识、大众消费成为主流时，公共装饰艺术才孕育出来，并且得到不断繁荣发展。

图 1-1-1 敦煌飞天局部

图 1-1-2　敦煌莫高窟 1

图 1-1-3　敦煌莫高窟 2

图 1-1-4　文艺复兴时期壁画

图 1-1-5 　《弥勒经变之二会说法》局部

　　随着第三产业的不断深化，各种公共场所不断涌现与发展。网络及科技的高速发展和生活节奏的不断加快，使人与人之间的情感交流越来越趋向于一种虚拟状态，真正的情感诉求却没有得到更好的表达。

　　公共艺术是一种当代性的空间文化，是城市化进程的一种表现。公共装饰艺术不仅体现了空间的多功能化，而且是对大多数人——城市主宰者的认同和分享，是对城市情感确认度的文化塑造。公共艺术中的"公共"所针对的是生活中人和人赖以生存的大环境，包括自然生态环境和人文社会环境。从文化层面来看，公共艺术尊重自然原生态及重视其产生的异质性生态文化经验就是对文化脉络的一种最根本的延续，也是其公共性在更广义上的延伸。传统是一脉相承的系统，传统与现代实质上是继承与创新的关系。有了这样的传承观，当代设计才可能在整个人类文明进化的大背景下深刻地理解自己的文化特质和历史使命；当代设计在向传统追寻文化血脉和灵感启迪时，才能够从文化的发展动因上解读传统。

作为公共区域的地域性标志，公共装饰艺术承载了该地域文化内涵、民俗风貌、娱乐消遣等内容（图1-1-6），公共装饰艺术的特色性需求随着城市文明程度的增长而不断增长，但由于科技的高速发展，机械化大生产的标准化、批量化产品严重充斥着社会，现代主义设计过于严谨的科学产品氛围使人们越来越感到生活的单调与僵硬，因而严重缺失由手工制造所产生的体现人性化精神内涵的独特魅力。在这种背景下，后现代主义设计异军突起，成为设计的突出潮流。

图1-1-6 《森林之歌》局部

后现代主义设计特征可以归结为以下几点：

（1）装饰隐喻设计。装饰，是后现代设计最为典型的特征。隐喻，即用借喻手法诠释与设计相关的文化、情景内涵等。

（2）想象的和情感的设计。后现代设计认为设计并不只是解决功能问题，还应考虑人的情感因素。

（3）仪式化的特征。消费者对产品的选择与使用过程，更多体现的是一种信仰和自我追求，它让我们感受过程、感受存在的意义以及人与物的交流和对话。

（4）呼唤真实的生活。后现代设计将人们从简单、机械枯燥的生活中解救出来，回归纯真自然的生活中。

（5）有爱心的设计。注意丰富和超越现代主义设计中的功能，将理性的、逻辑的功能发展为既有生理功能、又有心理功能的新功能主义设计。

（6）有卖点的设计。设计的成功是名望和利润的来源。

后现代主义是对现代主义极端理性设计的一种反叛，它更强调设计中的人文关怀，表现在建筑与造型上就是为大众提供娱乐与装饰。（图1-1-7、图1-1-8）

后现代主义设计思潮启示我们，人性化的个性设计与不同材质的共同运用，既可以充分地、有针对性地表现不同公共场所各自的内在特点，又可以将实用功能与艺术审美相结合，更好地为广大群众服务。其独特之处或者说其优点就在于，设计师通过材料质感的不同运用，加之个性化独特视角的设计，产生了可以填补人们在当今社会所缺失的精神内涵。

图1-1-7　北京798艺术区涂鸦1

图1-1-8　北京798艺术区涂鸦2

1.2 公共装饰设计的形式

公共装饰艺术的设计表现形式我们可以理解为两方面：一方面从设计图形的形式上实现艺术表现形式的多样化；另一方面是从材料入手，通过多种材料的运用来实现设计者所要表达的最终艺术效果。这一节我们主要从图形形式上来分析。

1.2.1 图形装饰的艺术特征

要做好的设计，就得学会从生活中仔细观察并总结规律，将物体最本质的元素抽取并保留，通过对物体原型本身固有的比例、透视、结构、空间、色彩等关系，采用夸张、添减、象征等艺术变化手法，实行归纳与再设计（图 1-2-1 至图 1-2-5）。

图 1-2-1 莫迪利亚尼作品

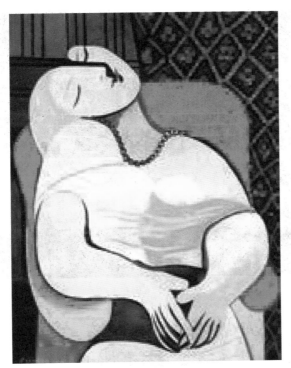

图 1—2—2 毕加索作品

图 1—2—3 毕加索作品

图 1-2-4　拳击赛照片

图 1-2-5　拳击手

1. 简洁手法

所谓"简洁手法"就是去繁就简，提炼归纳。设计者根据创作需求对物象特征以外的其他元素进行提炼与归纳，去粗存精，以增强装饰与美化效果。世界上的物象都有自己的体和面，而装饰造型语言应区别于写实的描绘，它需要通过概括、提炼或简化获得一种比较明确的单纯性装饰效果，大胆舍弃不具有代表性的元素，选择最能体现对象美的特征、美的结构和美的动态，将琐碎的、复杂的形象归纳、简化成完整流畅的形状。

2. 夸张手法

以突出特征为目的的夸张与强化，是对自然物象主要特征的夸张、强化。

3. 平面化手法

平面化是装饰图形的重要特点之一，主要表现在淡化自然物象的光影、明暗、远近等透视效果以及色彩的平面化上，将复杂的结构、体积、透视转化为平面处理，使其不再是客观的三维空间，也没有自身的体积感。

4. 理想性手法

通过一定的联想拓展，跨越时空限制，打破自然规律，将非现实与现实有机地结合在一起，在设计过程中，也可以借用类似于电影中蒙太奇的表现手法。

5. 秩序化、规律化手法

在装饰造型取舍组合的过程中，将经过加工提炼的图形的某些元素进行增强或缩减，实现重复的秩序和观感的节奏，就如同曲子中的某一段要进行反复一样。通过归纳和变化等形式，运用均衡、对称、节奏、疏密等一定的程式规则，使图形产生一种韵律之美。中国古代画家就常用"疏能跑马，密不透风"来形容画面的疏密关系。

6. 装饰语言统一性手法

在做装饰的过程中一定要注意表现形式的统一性，不能只注重变化而忽略了统一，它的造型要统一，韵味要统一，样式要统一，色彩也要统一。

7. 均衡手法

画面中的均衡不是物体实际的平衡和对称，而是视觉效果在人们生理与心理上产生的一种平衡。

8. 透视手法

从文艺复兴之后艺术家开始运用科学的透视原理，到立体派的诞生，现在艺术家都可以像照相机一样运用变焦效果的多角度去构图。中国的古代画论中曾谈到过运用平视视角、散点透视的方式刻画出千里山河的巨幅长卷（图1-2-6）就是用此手法创作出的佳作。

图1-2-6 丙烯重彩

1.2.2 装饰的形式与规律

　　装饰的形式大致可以分为两种：动态的和静态的。动态效果呈扩张、膨胀、辐射之气势，画面的张力给人以开阔感、运动感，画面较多运用弧线、曲线、交错之线（图1-2-7）；静态效果，画面平稳、严肃，呈收敛之势，多用平行线、垂直线，以保持画面的平静感。装饰的形式表现方式可以分为对称形式、不对称形式、共用线形式等。

图1-2-7 北京地铁某站

1. 点、线、面的运用

（1）点是造型艺术的最基本元素之一。点通过间距、疏密、起伏等艺术效果体现节奏、韵律的美感。

（2）线在艺术表现中占有突出的地位。它可以表现物象的外形、结构、体积、质感、量感等，装饰艺术特别重视线的组织美，通过线的长短、粗细、曲直、顿挫、疏密、变化与统一、条理与反复所产生的节奏感、韵律感会使情与意高度结合。曲线与直线的良好运用也会达到一种意想不到的效果。现代画家康定斯基作品以曲线、直线、圆形、方形、三角形进行组合，产生了如音乐般的视觉效果。

（3）运用面的分割和明暗处理，体现变化与统一。面的变化可以产生强烈的对比、调和、分散、呼应、虚实、对称、均衡等独特的艺术效果（图1-2-8）。

图1-2-8　康定斯基的作品

2. 装饰色彩的表现方式

色彩在生活当中随处可见，与衣、食、住、行息息相关。它对我们的生理、心理都产生了重要的影响。在色彩学上要知道色彩的三个基本要素：色相、明度、纯度。

色相：色彩本身所呈现的固有的面貌。如红色、黄色、蓝色等。

明度：色彩的明暗程度。在无彩色中，黑色明度最低，白色明度最高；在有彩色中，黄色明度最高，紫色明度最低。

纯度：又称饱和度，是指色彩色相的纯净程度。如红色比粉色纯度高。

在装饰色彩方面了解一些配色的规律，才能更好地运用色彩，创造出美丽的效果。

（1）对比与调和。色彩的配置离不开对比与调和，它们是相互对立又相互依存的辩证统一体。一般来说，同类色配色呈现出宁静柔和的统一色彩关系。对比色会给人以鲜明、强烈、动感的印象，对比因素占主导，可以借助色相、明度、纯度加强对比（图1-2-9至图1-2-12）。

（2）层次与色调。底色与底纹以及浮纹可以构成不同层次的变化，使画面变得更加丰富。

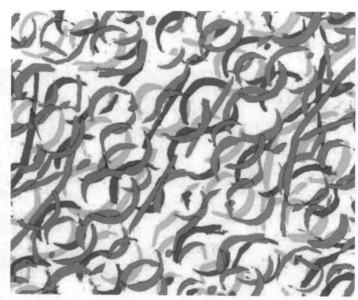

图1-2-9　对比

图1-2-10　调和

图 1-2-11　冷色调和——邻近色

图 1-2-12　暖色调和——邻近色

（3）提炼与整理。借鉴国内外大师作品或经典艺术作品，提炼其色彩，进行归纳与总结并进行重新设计与整理，形成新的设计色彩（图1-2-13、图1-2-14）。

c:52 m:61 y:56 k:28
c:47 m:48 y:49 k:11
c:25 m:32 y:67 k:1
c:16 m:15 y:26 k:0
c:32 m:69 y:86 k:25
c:30 m:51 y:72 k:9
c:36 m:30 y:69 k:3

图 1-2-13　从优秀作品中提取色彩

提取色谱

图 1-2-14　从西方古典绘画中提取色彩

1.3 公共装饰艺术设计与空间、环境的关系

交通工具的繁荣，为人与人之间的交流提供了可靠的平台，同时互联网的发达，给人创造了一种全新的虚拟空间。在这种背景下，一方面科技成果为公共装饰艺术提供了可能，另一方面公共装饰艺术作为能够填补人类精神空白的视觉元素而成为必要。公共装饰艺术依附在建筑环境中，悄悄地发生了巨变。公共装饰艺术与环境、空间的结合，体现了大众性与开放性。公共装饰艺术起到的不仅仅是点缀美化生活的作用，另外它还可以赋予建筑、空间以性格和精神，通过运用艺术改变建筑已有的风貌，赋予它另一种境界（图1-3-1）。

图1-3-1 公共装饰壁画

公共装饰艺术美化了生活，给人带来一种清新愉悦的视觉效果，同时它又受到建筑环境、空间的制约，使其不能过于脱离基本的形态结构，也正是因为这种限制才更好地体现了其鲜明性与生动性，使其产生一种独特的、动人的美感。公共装饰艺术的设计要与环境功能相适应。建筑空间按照空间环境大致可分为内部空间与外部空间，按照状态可分为流动空间与稳定空间，按照空间的需求又可以分为主空间与副空间，等等。

以空间的内部为例，如公共环境的大厅、音乐厅、咖啡厅、电影院、歌舞剧院、会议大厅、酒店宾馆的休息大厅等，此类为内部性能比较稳定的空间。如图1-3-2所示，是美国著名画家詹姆斯·麦克尼尔·惠斯勒为船舶巨头莱兰装修的《孔

雀室》。此设计将印象派与古典派结合，类似于中国工笔画风格的孔雀造型，蓝绿与金相间，展现出音乐般流畅的艺术效果。

图1-3-2　孔雀室装修效果　詹姆斯·麦克尼尔·惠斯勒

　　一般在设计制作时，可以在表现手法上运用得丰富一些，抽象的、意象的、浪漫主义的或者象征主义手法都可以运用。人们可以在喝咖啡、听音乐时边交谈边欣赏，或者在休息厅里边休息边观看，这些效果都会给人一种轻松愉悦的视觉享受。比利时新艺术运动时期的一位大师维克多·霍塔设计的塔塞尔公馆（图1-3-3），将当时刚刚盛行的铁艺与墙画相结合，霍塔运用他最擅长的线条为装饰，使塔塞尔公馆成为经典。

图1-3-3　塔塞尔公馆　维克多·霍塔

19 世纪奥地利维也纳分离派代表人物克里姆特在借鉴拜占庭式装饰镶嵌壁画的基础上，形成了自己独特的综合材料形式，他给布鲁塞尔斯托克私人会所设计制作的壁画是现代艺术史上的重要作品，该作品采用了玻璃、马赛克、珐琅、金属甚至宝石的镶嵌，这种多种材料的镶嵌技法成为综合绘画的一种重要表达方式（图 1-3-4 至图 1-3-8）。

图 1-3-4　维也纳艺术史博物馆 1　克里姆特

图 1-3-5　维也纳艺术史博物馆 2　克里姆特

图1-3-6作品《水蛇》是克里姆特运用蛋彩、沥粉、贴金等多种方法画成的。画中淡青色的人体同蜿蜒的蛇体交织在一起，金、翠两色的水草纹穿插其间，组成一种近乎抽象的，由点和线构成的音乐韵律。

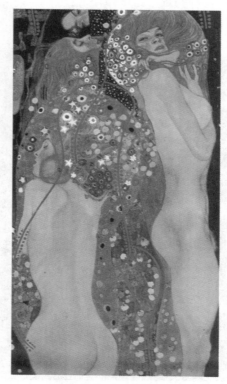

图1-3-6　水蛇

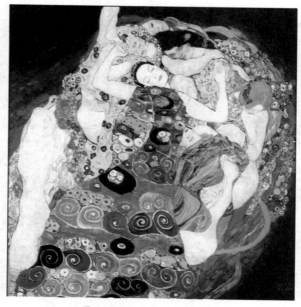

图1-3-7　克里姆特作品

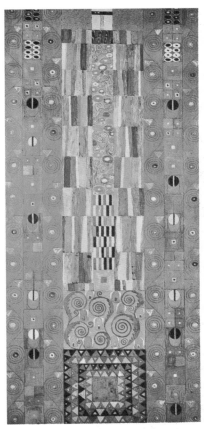

图1-3-8　午餐室正面墙壁图案
　　　　克里姆特

图1-3-9　圣家族教堂
　　　　安东尼·高迪

　　外部空间是以开放性为主导的设计理念，在设计中往往容易和建筑结构自然结合。代表性的作品如西班牙著名的建筑大师安东尼·高迪的圣家族教堂（图1-3-9）、米拉之家（图1-3-10）等。老百姓称米拉之家为"石头房子"，高迪认为"这房子的奇特造型与巴塞罗那四周千姿百态的群山相呼应"，是"用自然主义手法在建筑上体现浪漫主义和反传统精神最有说服力的作品"。此外还有法国著名的建筑师与装饰大师赫克多·吉玛德的设计代表作——巴黎地铁入口（图1-3-11）。

　　优秀的公共装饰艺术设计是与建筑、空间相互统一、和谐共存的。如果两者之间的关系是互相对立的，那么不仅公共装饰艺术会失去其自身的价值，同时也会削弱建筑的整体设计之美。当代公共装饰艺术随着建筑空间设计样式的多元化而变得更加新颖，也随着建筑材料运用的多元化而不断丰富。随着科技含量不断提高，环保意识不断增强，公共装饰艺术与空间、建筑的关系会更加紧密。

图 1-3-10　米拉之家 安东尼·高迪

图 1-3-11　巴黎地铁入口 赫克多·吉玛德

第2章 公共装饰之室内设计

室内设计是装修设计的一部分，它是将人们的环境意识与审美意识相结合，从建筑内部把握空间进行设计的一项活动。室内设计是根据业主的要求及客观条件，运用物质材料、工艺技术、艺术手段，创造出功能合理、舒适美观、符合人的生理及心理需要的内部空间，赋予使用者愉悦的、便于生活的、理想的居住环境。

为了使住宅实用、舒适，提高居住质量，能创造出独特的家庭欢乐气氛，室内设计必须符合居住者的生活习惯，使每个家庭都有符合自己特色的室内装修。室内设计不仅包括室内住宅空间的组合和色彩的搭配，还包括家具的布置，生活设施的装备、装饰，以及其他艺术表现手法。室内设计要满足客户包括功能上的、美学上的、心理上的、经济上的要求，还要充分考虑到住宅外部环境条件而能为客户提供良好的卫生条件以及应对各种问题的综合性服务。

室内住宅设计的特点是由家庭成员日常生活的各种要求决定的，它反映了居住者独特的生活方式、兴趣和爱好。

2.1 室内住宅设计的特点、发展

2.1.1 特 点

室内装修业前景不可限量。室内装修是我国改革开放后迅速发展起来的一个新兴行业，市场潜力巨大，发展速度极快。它不但是人们"衣、食、住、行"中的一个重要组成部分，还能体现出社会的物质文明和精神文明发展状况，因而备受社会大众的关注。

1. 消费特点

室内装修业的发展，对于扩大内需、增加就业、振兴经济、提高人民生活质量，都具有重要意义。它是朝阳行业，具有如下鲜明的消费特点。

（1）消费层次高，市场需求大。室内装修是文化品位较高的室内环境设计艺术。它作为社会发展到一定阶段的大众文化消费，要以一定的经济实力和文化素养为前提，并以环境意识的觉醒和对生活质量的追求为动力。我国改革开放后经济突飞猛进地发展和人民生活水平大幅度提高，客观上为消费结构的变化以及室内装修业的发展创造了极为有利的条件。目前城市居民能承受的万元以上的消费项目，家庭装修是首选项目之一。随着旅游业、住宅业、家庭服务业的发展，围绕"装修设计"的消费将是潜力巨大的市场。

（2）除了新建住宅规模越来越大外，二手房市场的火热升温也将进一步推动住宅装修业发展。

（3）我国会进一步提高住房及室内装修的各项标准。

（4）室内装修市场将出现新一轮的细分，以不同建筑类别划分的设计及施工的专业化优势将在竞争中表现得更为突出，特别是在住宅装饰装修领域，产业化的发展方向将更加明显。

2. 新趋势

室内住宅设计是连接精神文明与物质文明的桥梁，人类寄希望于通过"设计"来改造世界，改善环境，提高人类生存的生活质量。据有关专家介绍，现代室内设计发展大致归纳为六个新趋势。

（1）回归自然化。随着环境保护意识的增长，人们向往自然，喜爱天然饮食和自然材料，渴望住在天然绿色环境中。北欧的斯堪的纳维亚设计流派便由此兴起，对世界各国影响很大。该流派在住宅设计中注重营造田园的舒适气氛，强调自然的色彩和天然材料的应用，采用许多民间艺术手法和风格。在此基础上设计师们不断在"回归自然"上下工夫，创造出新的纹理效果，运用具象和抽象的设计手法来使人们联想到自然，感受到大自然的温馨。

（2）整体艺术化。随着社会物质财富的丰富，人们要求室内设计从"物的堆积"中解放出来，希望室内各种物件之间存在统一整体之美。正如法国启蒙思想家狄德罗所说："美与关系俱生、俱长、俱灭。"室内环境设计是整体艺术，它应是空间、形体、色彩以及虚实关系的把握、意境创造的把握以及与周围环境的关系协调，许多成功的室内设计实例都是艺术上强调整体统一的作品。

（3）高度现代化。随着科学技术的发展，在室内设计中采用一切现代科技手段，使设计达到最佳声光、色形的匹配效果，实现高速度、高效率、高功能，创造出理想的值得人们赞叹的空间环境来。

（4）高度民族化。如果只强调高度现代化，人们虽然提高了生活质量，却又会感到失去了传统、失去了过去。因此，室内设计的发展趋势就是既讲现代，又讲传统。如日本有许多环境设计人员致力于高度现代化与高度民族化相结合的设计体现。其设计作品传统风格浓重而又富有时代气息，设备、材质、工艺高度现代化，室内空间处理及装饰细节引人入胜，使其他国家的设计人员印象深刻、备受启发。

（5）个性化。大工业化生产给社会留下了千篇一律的同一化问题。诸如相同楼房、相同房间、相同的室内设备比比皆是。为了打破室内设计的同一化，人们追求设计的个性化。其中的设计手法也多种多样，把自然引进室内，使室内外通透或连成一片；有一种设计手法是"打破水泥方盒子"，在室内增加斜面、斜线或曲线装饰，以此来打破水平垂直线求得变化；利用色彩、图画、图案以及玻璃镜面的反射来扩展空间等。总之，这些设计的理念是：打破千人一面的冷漠感，通过精心设计，给每个家庭居室以个性化的特征。

（6）高技术、高情感化。国际上工业先进国家的室内设计一直在向高技术、高情感方向发展。高技术与高情感相结合，既重视科技，又强调人情味。这是室内设计发展的大趋势，在艺术风格上追求多元化、综合化，设计手法不拘泥于一格，呈现出五彩缤纷、不断探索创新的局面。

2.1.2 发 展

随着全装修房的推行，如何解决装修的规模效益和业主的个性化需求，已成为室内设计师和房产开发商最关注的问题之一。"重装饰、轻装修""多元风格融合"理念成为解决这一矛盾的着眼点。

1. "重装饰、轻装修"概念的强调

一般而言，室内设计由空间、界面和室内陈设三部分组成，但在目前的室内住宅设计中，空间方面建筑设计已大体决定，室内设计师可变化的不会太多；界面处理往往是室内设计的重点；室内陈设在很多时候是由业主自己完成的，室内陈设包括家具、灯具、饰品和绿化的选配等。对于住宅来说，界面装修一旦形成往往在相当长一段时间内维持不变，而室内陈设则有可能随业主的喜好和心情作出新的调整，为整个室内环境的氛围变化创造了条件。从室内设计的元素进行分析，我们可以看到，为满足业主的多元化需求和房产商的批量化生产，"重装饰，轻装修"这一观念的提倡也许是解决问题的关键所在，也是家居设计发展的一个必然趋势。如强弱电等配套设施安置完备，让业主根据自己的喜好或听从设计师的建议选择合适的家具、电器、陈设等室内活动设施来装点空间。这样就既考虑了整个社会资源的合理配置，也顾及了单个业主的个性化需求。

目前，室内设计师普遍认为，"重装饰、轻装修"是一个代表着未来家庭装修趋势的新理念，它的意义已不仅仅是在理论上体现，而有更深层次的现实意义。同时这一概念也是业主对设计人员提出的一个更高的要求，家居设计师们必须将工作更进一步，以更好地完成室内设计的整个系统工作；甚至专职的装饰设计师也就会应运而生，他们将会与家居设计师共同为业主提供家居设计方案。

2. 多元风格的融合

随着各民族文化的互相融合，国际间频繁的交流和人们审美观念的变化，单纯的风格在家居设计中也许会逐步弱化，这将是家居设计的一个趋势。在古典风格中加入现代元素，让整个空间更有活力，或是在中式风格的环境中补充欧式元素，创造更加舒适的生活环境，这样的室内设计处理方式将会大量涌现。其间体现出业主和设计师对于人情味和文化内涵的注重。

3. 家具与陈设品的流行趋势

首先，家具应是注重环保、健康，家具的设计和制作将会以环保和健康为重点。其次，随着人们生活水平的不断提高，消费者对于所采购家具的品质、款式、美感、舒适度也将会越来越重视，追求个性化将是家具业发展的趋势，注重品味化的现象将会越来越明显。再次，在颜色方面，家具有可能趋向于木本色、檀木色、油墨色，以突出自然气息和人文情怀。最后，在家具风格方面，欧洲古典主义风格将会逐渐减少，取而代之的是新古典主义、乡村风格、地中海风情、新中式风格以及现代风格等。

4. 家居饰品会日趋时尚化

首先，家居用品的生产商越来越多，就连某些本来以服装为主要经营目标的品牌，现也推出了自己的家居用品，包括床单、被罩、枕套、睡衣、毛巾等。其次，家居饰品的材质更加多样化，设计更加时装化。例如床上用品，以前人们只有纯棉、化纤、羊毛等有限的面料可供选择，而如今就有了更多像棉麻混纺、牛皮、芦苇甚至纳米材料等新型面料。最后，随着绿色植物渐渐成为室内装饰的一个重要角色，我国的花卉市场开始活跃起来，花卉品种越来越多；在居室内种养花草，已经逐渐成为百姓美化居室环境的一项重要手段。许多居民认为植绿色植物是修身养性的一种好方法，选几款漂亮的盆景装饰居室，会使室内增添生气。

从以上几个方面来看，我国的住宅产业会出现一番新的景象，不仅房型设计会日趋合理和舒适，而且在室内设计和装修上会有新的突破；室内装修的产业化处理和室内装饰的个性化服务会逐步实现，多风格融合、多人文关怀的设计趋势已然明显，自然、健康、环保会受到多方面的重视。

室内设计装修是把生活的各种情形"物化"到房间之中。室内住宅是一种以家庭为对象的人文生活环境。因为家庭生活具有其独特的性质，而且每个家庭在成员结构、生活习惯、物质需求、审美趣味和经济条件等很多方面都存在着个体差别，所以作为家庭生活基本环境的室内住宅设计，就成为在室内设计中最具有普遍化及多样化的领域。

现代社会，在室内住宅设计中提倡以人为本的观念受到普遍重视。以人为本，满足人们的物质和精神需要，为人们的家庭生活提供安全、便利、舒适、愉快、高质量的空间环境，已经成为室内住宅设计的基本目标。

由此，情感化和技术化成为现代室内住宅设计的主要发展趋势，而对审美趣味和艺术风格的追求，则出现多样化的趋势。实用、美观、经济成为在现实生活中，人们对室内住宅设计的普遍要求。尽管这种要求普遍一致，可是人们对于实用、美观、经济及其三者相互关系的理解并不一致，会显现出不同的排序和多种多样的特点。若将实用、美观、经济转化为对室内住宅设计的具体实施方案，那么每一个家庭的具体要求更是千差万别。

2.2 室内住宅装饰设计的分类

2.2.1 按功能分类

按空间功能分，室内住宅空间包括：玄关、过道、客厅、卧室、书房、卫生间、儿童房、女孩房、男孩房、新婚房、衣帽间、休息室、餐厅、厨房、阳台、吧台、花园、地下室、洗衣间、化妆间、健身房、老人房、工作间、保姆房等。

2.2.2 按风格分类

按风格分，室内住宅当下主流风格分为东方系列（含中式、日式、泰式风格），欧式系列（含北欧、西欧、地中海风格），美式系列（含乡村、现代风格）。

2.2.3 按构件分类

按构件功能分，住宅空间包括：隔断、吊顶、地板、地台、鞋柜、门窗、窗帘、电视墙、装饰墙、灯具、壁橱、壁炉、沙发、茶几、柜子、搁架、书架、桌椅、床具、衣柜、橱柜、餐桌、吧台、酒架、浴缸、洗手盆、马桶、家居饰品、绿植等。

2.2.4 按户型分类

按户型分，住宅空间包括：单身公寓、小户型、中户型、大户型、别墅、复式、错层、楼中楼等。

2.2.5 按颜色分类

按色调分类，住宅空间包括：冷色调（紫色、蓝色、绿色）住宅空间、中性色调住宅空间、暖色调（红色、橙色、黄色）住宅空间。

2.3　室内装饰设计图例

图 2-3-1

图 2-3-2

图 2-3-3

图 2-3-4

图 2-3-5

第3章 公共装饰设计的材料使用过程

我国古代著名的工艺专著《考工记》中提出了"天有时、地有气、工有巧、材有美，合此四者然后可以为良也"的重要观点。"天有时"指的是时间的概念，"地有气"指的是空间的概念，"材有美"是对材料的质地、肌理的美的认识，"工有巧"是指加工工艺的艺术方式及条件，这四个条件合理结合与运用才能创作出好的艺术产品。材料的质地与肌理的物理特性所产生的美会给观者带来心理体验，这也是公共装饰艺术的重要组成部分。不同质地的材料给人以不同的心理体验，如温暖的、热烈的、亲切的、冰冷的、粗糙的、光洁的等，通过人工二次加工或多次加工后，有些材质的特征可以相互转化，把握不同材质的特点就会创造出不同的环境效果。例如中世纪通过将彩色玻璃壁画运用到教堂中，营造一种神秘、庄严的气氛，充分显示出宗教的神圣地位（图3-1-0）。

图3-1　彩色玻璃壁画

3.1 玻璃钢与金属工艺

从青铜时代起，金属工艺就诞生并不断发展起来，之后又经历了铁器时代，直到今天，小到一根针，大到飞机汽车，每个领域中都不能缺少金属工艺。金属材料种类比较多，常用的有铜（图3-1-1、图3-1-4、图3-1-5）、铁、金、银、不锈钢等材料。金属本身有很多优良的特性，不同的金属光泽给人以不同的心理感受，这种视觉效果对现代公共装饰艺术起到了丰富的作用；金属的延展性对于装饰的造型塑造起到了充实作用；金属工艺表面装饰手法的多样性，如电镀、蚀刻、喷漆、镶嵌、鎏金等，对公共装饰艺术也起到了一定的拓展作用。我国古代著名工艺品中，长信宫灯就是鎏金工艺的杰作（图3-1-2）。

1912年，毕加索用金属片和金属线制作了一件名为《吉他》的雕塑作品，开创了雕塑空间和抽象图案的新概念（图3-1-3）。

图 3-1-1　后（司）母戊大方鼎

图 3-1-2　长信宫灯

图 3-1-3 《吉他》 毕加索

图 3-1-4 青铜雕塑 亨利·摩尔

图 3-1-5 母与子

金属工艺的稳重、冷漠效果与其他自然原料，如木材、陶器、石材等相结合，营造出一种全新的具有心理反差的视觉效果（图3-1-6至图3-1-12）。

图3-1-6　金属工艺制作工作现场

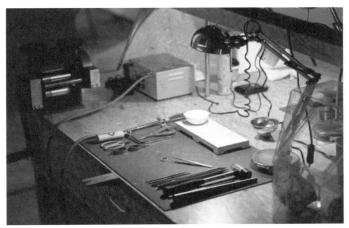

图3-1-7　金属工艺制作工作台

图3-1-8　浮雕

图 3-1-9 浮雕

图 3-1-10 浮雕

图 3-1-11 浮雕

图 3-1-12　金属浮雕

　　玻璃钢是以环氧树脂为主要原料的材料。树脂是在一定温度和压力下可塑成型，并在常温下保持其形状不变的材料。玻璃钢较之金属轻便又容易制造，仿金属效果好，尤其是模仿青铜效果较好，价格比较低廉，在当今雕塑艺术当中比较常用。在翻制玻璃钢时要先加入一定比例的催化剂，调制成一种淡黄色黏稠状液体，之后加入一定量的固化剂，加入固化剂的多少，决定了凝固速度的快慢。当表面玻璃纤维布达到一定厚度后，风干固化，最后脱去石膏，修皮处理，连接合缝，即可得到玻璃钢造型。玻璃钢之优势就在于模仿性，通过对表面的处理，可以达到金属的效果（图 3-1-13 至图 3-1-19）。

图 3-1-13　玻璃钢浮雕

图 3-1-14　成都宽窄巷子作品 1 玻璃钢＋布　图 3-1-15　成都宽窄巷子作品 2 玻璃钢＋布

图 3-1-16　成都街头雕塑　　　　　图 3-1-17　成都街头浮雕

图 3-1-18　玻璃钢雕塑作品

图 3-1-19　浮雕

3.2 漆雕塑工艺与漆壁画工艺

1. 漆的产生

　　"漆"古字为"桼"，上为木，下为水，中间左右各一撇，表示漆液通过刀割之后流出之意。今天的漆工们采漆时还是在割开的树皮上插上树叶或竹片，将流出的液体导入容器中。所以真正的漆指的是天然漆，它是从漆树中产生的一种呈乳白色的液体，在接触空气后变为栗壳色。"如胶似漆""漆黑一团"等词语都说明漆与黑色有着一定关系，但实际上漆并非黑色，而是以红棕色为主，涂表数遍或数十遍后类似黑色。漆工艺可用漆液粘贴金银片、螺钿、宝石等。我国的漆艺有着源远流长的历史，现今发现最早的漆器是朱漆木碗，可以追溯到 7 000 年前的河姆渡时期。战国时期与汉代时期是我国古代漆艺发展的辉煌时期。到了隋唐之后，由于陶器的兴盛，漆器艺术逐渐从大众视野中消失，但是在宫廷与贵族消费中漆器消费始终延续不断。20 世纪 80 年代，由于国际市场不景气，东南亚各国漆艺的竞争日益激烈，我国的漆器艺术逐渐萎缩。但随着近些年中国旅游市场的兴盛，公共场所的大力兴建与改善，漆器艺术又逐渐焕发出新光芒（图3-2-1）。

图 3-2-1　彩绘皮胎漆碗
　　　　　彝族漆器

图 3-2-2　漆画

　　漆画（图 3-2-2）是从漆器艺术中延伸出的一种类型，相关磨漆工艺最早是从越南漆艺家那里流传过来的。

2. 漆的分类及特点

　　天然漆因其独特的特点而为装饰艺术所吸收。其优点是刷漆后，与空气充分结合，形成一定的漆膜，这层膜具有耐酸、耐腐蚀、绝缘性等特性，可以起到保护作用。经过多层刷漆后，其色泽温润、典雅、幽静，成为装饰的一大优点。但天然漆也有其缺点，其对温度、湿度要求严格，达不到一定效果就会起皱或者无法干燥，所以需要特定的荫房来阴干漆画，阴干期间的时间也不好掌握，常常会因为天气突变而导致作品前功尽弃。另外天然漆中的漆酚会夺取人皮肤中的氧原子，从而使一部分制作人员在制作时产生不适感，所以人们寻找一些替代品来尽量避免天然漆的不足。

腰果漆就是天然漆的一种替代品。腰果漆来自腰果树上的腰果壳，原产于巴西。腰果漆在性能方面比较接近天然漆，硬度较好，也耐酸、耐碱，而且价格低廉，自然干燥结膜，干燥速度快，涂漆一遍半日内可刷第二遍，不需要荫房。但是其缺点是附着力不如大漆（天然漆），颜色过于偏红，不够透明，柔韧性差，含有对人体有害的苯类物质。

合成漆也是天然漆的一种替代品，它是现代工业的产物。如聚氨酯树脂漆、硝基清漆等。聚氨酯树脂漆，又称聚氨酯清漆，是一种化工涂料。其优点是透明效果好，可以和天然漆混合使用，提高天然漆的透明度，还可以控制漆的干燥速度；价格便宜，对工作空间要求不严格。但其缺点是色泽不够温润，较刺眼；含有害化学成分，刺激人的呼吸道；保存时间短，易褪色。

3. 漆画艺术的制作

漆画需运用特殊工具进行制作，一般包括刮刀、发刷、富有弹性的特质鼠毛画笔、刻刀、调漆板、不同号砂纸等。有时要做一些特殊效果时需要特殊的工具，如做莳绘技法时要用到箩筛、粉筒，主要是用来筛撒金粉、银粉、干漆粉。（图3-2-3、图3-2-4）

图 3-2-3　挂锹

图 3-2-4　色漆

漆画制作一般是先在木质胎体或者高密度板上进行挂瓦灰，之后表布、刷漆、磨漆（每个步骤之后都应磨漆）。在此基础之上开始进行设计与绘画。在制作过程中可以运用多种髹涂技法，使装饰效果变得多样化（图3-2-5、图3-2-6）。

图 3-2-5 《后羿射日》

图 3-2-6 《秋荷》

现代设计生活中有时就运用合成漆、腰果漆以及部分天然漆来完成一些公共装饰。用一些木粉合成磨漆，表现现代风格的设计（图3-2-7至图3-2-41）。

图 3-2-7　腰果漆

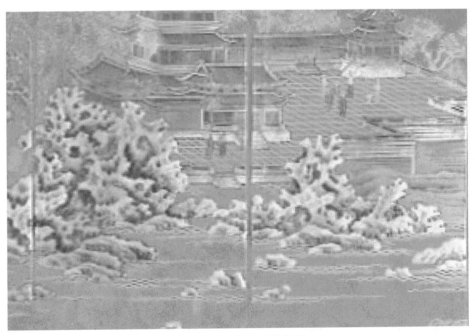

图 3-2-8　局部　腰果漆

图 3-2-9　腰果漆

图 3-2-10　腰果漆

图 3-2-11　壁画作品　田晓冬

图 3-2-12　壁画作品　田晓冬

图 3-2-13 壁画 田晓冬

图 3-2-14 壁画

图 3-2-15 鹤 铝粉刻漆＋蛋壳镶嵌

图 3-2-16 松鹤延年 金箔＋蛋壳镶嵌

图 3-2-17 四方神

图 3-2-18 脸谱

图 3-2-19　屏风画

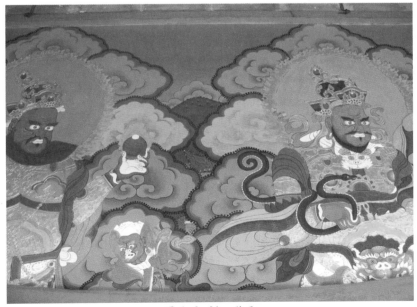

图 3-2-20　壁画

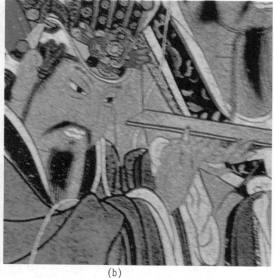

(a)　　　　　　　　　　　　　　　　　(b)

图 3-2-21　永乐宫局部　漆＋综合材料实验　赵康林

图 3-2-22　壁画 2

图 3-2-23　壁画 3

图 3-2-24　壁画 4

图 3-2-25 漆+综合材料试验 5 赵康林

图 3-2-26 壁画 5

图 3-2-27 壁画 6

图 3-2-28 漆+综合材料实验 学生作品

图 3-2-29　壁画 7

图 3-2-30　壁画 8

图 3-2-31　壁画 9

图 3-2-32　埃及墙画 2　漆＋综合材料实验　赵康林

图 3-2-33　漆柜 1　赵康林

图 3-2-34　漆柜 2　赵康林

图 3-2-35 埃及墙画1 漆＋综合材料实验

图 3-2-36 埃及墙画1局部 漆＋综合材料实验

图 3—2—37　某会所漆画门

图 3—2—38　屏风画

图 3-2-39 漆屏风 1 蛋壳镶嵌＋木粉＋综合材料

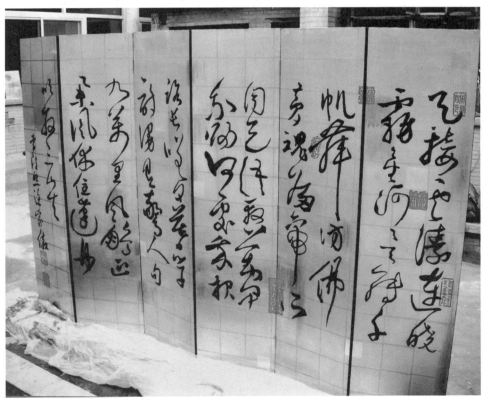

图 3-2-40 漆屏风 2 蛋壳镶嵌＋木粉＋综合材料

图 3-2-41 漆屏风 3 贴金箔＋综合材料

3.3 纤维艺术设计

纤维材料是一种容易与人亲近的材料，它的质感、肌理感、色彩感所产生的效果给人一种温馨的亲切感。通过编、结、缠、扎、缝、染等构成软体或综合材料构成品，如编织品、纺织品、染织品等的材料统称为纤维。纤维艺术在中国古老大地上有着灿烂辉煌的历史，如传统的缂丝工艺、传统刺绣工艺等，著名的丝绸之路就是将中国精美的丝织产品远销世界的一个壮举。刺绣以苏绣、湘绣、粤绣、蜀绣为四大绣。织锦工艺是纤维艺术的最高代表。纤维艺术与建筑环境有着密切的关系，纤维艺术运用到建筑中时，纤维的软质材料与墙体的硬质建筑材料形成的对比，可使建筑人性化。现代纤维的多样性，可适应不同的建筑风格。纤维的柔和温暖的材质以及纯手工编造的效果可消除建筑给人带来的严肃与冷漠（图3-3-1至图3-3-7）。

图 3-3-1　学生作品 1

　　纤维材料可以分为天然纤维、合成纤维、化学纤维、人造纤维等。其中，天然纤维指的是如棉、麻、羊毛、丝、竹、藤条等原生材料；人造纤维指的是涤纶、棉纶、腈纶、丙纶等。

图 3-3-2　学生作品 2

图 3-3-3　学生作品 3

图 3-3-4　学生作品 4

图 3-3-5　学生作品 5

图 3—3—6　学生作品 6

图 3—3—7　学生作品 7

3.4　多种综合材料的使用

除了前文介绍的材料以外，还有很多材料可以制作公共装饰艺术作品。我们在这里分类介绍几种常用材料。

1. 木质产品

木材的硬度与强度可适应黏合、螺丝结合等操作手法，另外木材给人以亲切、温暖和人文关怀的心理体验。我国明清时期的木式家具是木质产品的经典代表，还有苏州园林中的木式建筑，也是代表性的作品（图 3-4-1 至图 3-4-7）。

图 3-4-1　木雕作品 1

图 3-4-2　木雕作品 2

图 3-4-3　木雕作品 3

图 3-4-4　木雕佛

图 3-4-5　木雕钟馗

图 3-4-6　木雕济公

图 3-4-7　木雕

2. 石材

石材是大自然赋予我们的最有代表性的材料之一，在我国古代建筑中以佛教石窟建筑为代表，如云冈石窟、龙门石窟等。欧洲的建筑遗物也多以石材建筑保留最长，如希腊雅典卫城（图 3-4-8 至图 3-4-11）。

图 3-4-8　石雕

图 3-4-9　石柱　某公园石雕　　　　　　图 3-4-10　某景点浮雕

图 3-4-11　石雕

3. 陶瓷

陶瓷是以黏土为基本材料，经过不同烧制过程烧制而成的。陶瓷的使用已有上万年的历史。我国是陶瓷大国，从原始社会开始就已经开始使用陶器，尤其到了两宋时期，陶瓷艺术发展到巅峰，官窑、哥窑、定窑、汝窑、钧窑是当时的五大名窑，陶瓷甚至可以做到仿玉器的效果。陶瓷材料实际可以分成陶与瓷两类，陶的艺术效果偏重于质朴、自然、敦厚，而瓷器偏向于精致、秀丽。两者都有很强的耐腐蚀、耐氧化性，而且陶瓷色彩很丰富。陶瓷材料的可塑性非常强，它是源于水和土的融合，故而与人的心理有一种自然的亲和力。现代公共装饰设计就是借助此特点，将陶瓷艺术从最初的功能性逐渐地转化为以审美为目的的艺术形态（图3-4-12至图3-4-16）。

图3-4-12　鱼纹彩陶盆

图3-4-13　《夜与昼》　陶板壁画　米罗

图 3-4-14 天津瓷房子

图 3-4-15 地铁某站壁画1

图 3-4-16　地铁某站壁画2

4. 玻璃

　　玻璃通常是以石英砂、石灰石、纯碱等为主要原料熔融而成。玻璃质地坚硬，表面光滑，反射与折射效果强，能产生变幻莫测、光怪陆离、晶莹剔透的效果。通过喷砂、研磨、抛光、磨边处理，玻璃表面可产生各种纹样。玻璃模具加工成型的手段可以采用吹制、压制和拉制等方法（图 3-4-17 至图 3-4-20）。

图 3-4-17　新艺术运动时期玻璃彩画

图3—4—18 彩色玻璃屏风

图3—4—19 彩色玻璃

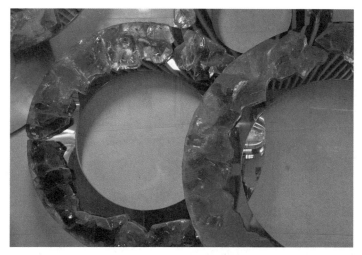

图 3-4-20 地铁某站 《五彩生活》局部 邹明等

5. 石膏与水泥

石膏与水泥都可以通过加入一定比例的水后凝固成有一定硬度的固体形态。石膏的固化速度要强于水泥，为了减缓其凝固速度，可以加一些缓凝剂，这样就可以为制作中修改造型赢得时间。水泥干燥以后，其硬度要高于石膏。由于水泥在制作时多成半液体状态，所以在制作大型作品时多需在内部加一些钢制骨架来起支撑作用。水泥可以和陶瓷、玻璃、彩石、金属等材料相结合使用（图 3-4-21 至图 3-4-24）。

图 3-4-21 《男低音》 田晓冬

图 3—4—22　狮子　田晓冬 收藏

图 3—4—23　狮子　田晓冬 收藏

图 3—4—24　狮子　田晓冬 收藏

第 4 章　广场设计与装饰

　　关于城市广场传统，西方学者已经进行了广泛的研究。首先是卡米诺·希特，早在百年前，在他 1889 年出版的《遵循艺术原则的城市设计》一书中，这位设计的先驱就针对工业化对欧洲城市的破坏提出了严厉批评。他极力赞颂中世纪欧洲城市那种曲折多变的灵活空间以及这种空间的宜人尺度，他更赞叹这种空间里蕴含的人文精神。20 世纪初，一批学者针对城市广场这一课题展开了专门研究，主要有比德尔、布林克曼、岗特尔以及李瑟尔等，但他们的研究都停留在空间层面。第二次世界大战以后，城市广场的研究从单一的空间分析扩展到了社会学背景的探讨，历史发展线索的追踪常常成为学者们研究的手段。其中，贝纳沃洛、艾克里以及韦伯的研究有着较大的影响，由此推动了战后人们对空间形态的研究。

　　近年来中国学术界也引进了不少国外城市设计的优秀文献，国内的学者也进行了扎实的探索，其中：以齐康、王建国为代表的东南大学学者的研究为国人展示了一个非常全面的城市设计的轮廓；洪平亮的《城市设计历程》则为读者简要介绍和分析了城市设计思想及手法的历史变迁以及导致这种变迁的社会历史背景。而直接针对城市广场的研究有王珂等人的《城市广场设计》，虽然该研究只能停留在对概念和设计原则的粗略介绍层面，但也为我们认识城市广场这一外来文化提供了资料。

　　城市广场是一种古老的文化，直到今天它还是生机勃勃。城市广场是一种伟大的传统，它影响并改变了许多文明的进程。20 世纪 90 年代初始，我国国内各大城市逐步兴起建造城市广场的热潮，这是历史发展的必然结果。20 世纪 80 年代中期，改革开放的政策推动了城市的发展，沉寂了一段时期的城市建设，悄然在发生着变化。由于缺少整体感和良好城市设计的控制，一些广场周边新出现的建筑南辕北辙，水平参差不齐，严重破坏了广场的格局，针对这些混乱现象，政府领导和市民十分敏感，试图采取措施控制混乱。当时，有些对设计有着较高要求的城市举行过广场规划设计竞赛，结果都还不错，参赛者提出很多切合实际的建议，可惜因缺乏审批程序的认定，这些对广场的未来发展规划很有益的竞赛获奖方案，很难有效实现。致使这些广场原来表现出的缺陷——功能单一，尺度过大，空旷简单，缺少城市广场应有的特色和活力等问题也没有得到解决。城市广大市民期望有更多的开放公共空间场所，以满足他们日益增长的文化休闲活动的需求，这种需求随时都在寻找机遇，从来没有停止过。进入 20 世纪 90 年代中期，我国城市化建设突然进入加速期。经济因素的活跃和市场经济的推动，有些先进的城市由于有较好的经济基础，借助于国庆 50 周年纪念和千年之禧等大型活动庆典的机会，开始大规模地修建城市广场，有的城市甚至提出 3 年建造 10 个广场，城市广场建设进入如火如荼的阶段。究其原因，是由于新中国成立后，由于种种原因使中国城市的建设被缓慢地搁置下来。20 世纪 60 年代后又寂静了 30 年，积蓄的力量和热情一旦迸发出来，必然是急风暴雨式地前进，仔细考察研究近几年国内修建的城市广场，大多尺寸偏大，与周边的建筑并未形成良好的围合，因而很难衡量这些广场的空间品质和艺术性。

对中国来讲，城市广场是一种来自异国的文化现象，但它正极大地改变着中国人的生存空间。因为中国历史上缺少城市广场这一元素，所以本书的研究是借助于西方的城市广场成熟的标准进行研究的（如图 4-1 至图 4-5）。

图 4-1　城市广场设计

图 4-2　渐灵蕊　　　　　　　指导老师：田晓冬

图 4-3 广场设计

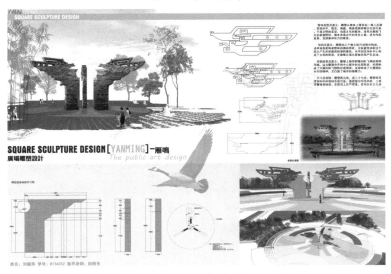

图 4-4 刘韶华　　　指导老师：田晓冬

图 4-5 王丽　　　指导老师：田晓冬

当我们对某个问题进行研究时，我们需要有统一的共识与理解，这样才有助于我们对问题进行不断地深入研究。结合有关西方城市广场在不同时期的发展及其特点的演化，从历史发展的角度看城市广场的发展，我们从宏观的角度给出了广场建设的原则：实用性、美学和文化原则。研究从城市历史学、城市社会学、空间形态学和空间类型学这四方面展开，并借助于西方成熟的广场建筑标准对城市广场的规划原则进行了系统的解释（如图4-6至图4-10）。

图4-6　西方广场设计1

图4-7　西方广场设计2

图 4-8　西方广场设计 3

图 4-9　西方广场设计 4

图 4-10　西方广场设计 5

系统、理性、客观、全面、深入地描绘一个城市广场的完整画面,纠正一些概念上的误区。并立足于社会学的角度,对城市、广场以及与人的关系进行分析,从广场的历史脉络解析广场的设计。这种研究方法出自笔者的信念:人的活动是空间产生的源泉,同时也是衡量空间真实性及品质的标准,空间的状态对人的活动产生积极或消极的影响。物质性和非物质性的两种要素共同构成城市广场的内涵,决定城市广场的品质。所以,对城市广场的描述一方面取决于人的活动的特征及其社会学意义;另一方面取决于人的空间感受,即空间品质。因此,对城市广场的研究将在城市历史学、城市社会学、空间形态学和空间类型学这四方面展开。

　　西方城市广场研究的理论基础是西方学者对社会学、行为学以及视觉心理学的分析,决定西方城市广场的诸多要素对于中国文化具有同样重要的意义,对于中国的城市建设也应该具有借鉴意义。

　　城市广场始终处于一种"运动"状态,它的构成、它的特征、它的属性以及它的角色都在不断地变化。要从社会学和历史学的角度较为系统的阐述城市广场的发展史,借助于西方广场的社会品质及建筑类型,找出我国广场发展的不足之处,加以改进(如图4-11、图4-12)。

图4-11　城市广场雕塑

图 4-12　王丽娟　　　指导老师：田晓冬

　　广场作为城市的公共活动空间，不仅承载着市民的休憩、娱乐、交流及社会活动等功能作用，也是对外展现城市政治、经济、历史文化以及精神风貌的重要窗口。然而，城市广场建设受诸多因素及条件的限制，空间尺度作为构成广场景观形态的重要因素，决定着广场的空间结构、物象形态及比例关系的协调性，因此，空间尺度的掌控是广场设计过程中的重要环节之一，是决定城市广场空间关系与视觉效果的重要保证（如图 4-13 至图 4-20）。

图 4-13　胡晓冉　　　指导老师：田晓冬

图 4-14　季璐　　指导老师：田晓冬

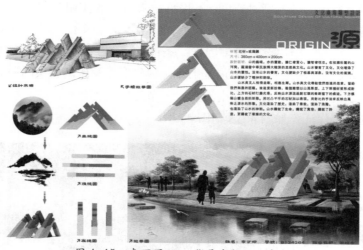

图 4-15　束丁琛　　指导老师：田晓冬

图 4-16　尹竹露　　指导老师：田晓冬

图 4—17 广场雕塑 1

图 4—18 广场雕塑 2

图 4—19 李晓宇 指导老师：田晓冬

图 4—20 商场雕塑

第 5 章　公共装饰艺术设计与设计师思维

5.1　设计创作应具备的素养

任何设计都是由设计师来设计制作完成的，设计师水平的优劣以及他对设计作品认真的程度，直接决定着设计作品的水准。一件优秀的设计作品离不开高设计水准以及作品的施工过程的精细程度，这些因素又都取决于设计师本人。

设计师作为一种职业，是社会发展进步的产物。目前国内很多高校都设置了艺术设计系，有些院校还设置了装饰系、工艺系或开设了公共装饰专业，目的就是为了更好地培养一批优秀的、具有专业素养的设计人才。优秀的设计师应该具备以下这些素质。

（1）对事物的细致观察、总结归纳以及创造性设计的能力。

（2）一定的艺术审美能力和艺术表现力。

（3）多种学科的综合运用能力、协调能力，材料与技法的相互运用能力。

（4）在设计制作中的责任感。

从设计本身以及设计的市场需求来说，设计师应该注意设计过程中的图形内涵、图形结构、材料运用的合理性，要充分考虑经济节约，并且最大限度地运用材料本身的特点与特性，考虑设计作品与自然生态的关系，注重环境保护。在设计过程中还应考虑地域文化内涵，要让某些群体产生一定的情感认同和文化共识，这种设计效果是隐形设计，它潜藏着一种文化关怀，给观者一种周到、亲切的人情味的艺术效果。设计构图中还要注重形式美，通过点、线、面以及色彩、材料肌理等，展现给观者一种愉悦的视觉效果。

5.2 设计思维与设计创作过程中的设计形式

5.2.1 元素的借鉴

1. 中国元素的学习与借鉴

近几十年来，我国的设计教育越来越注重对中国传统文化元素的吸收，因此艺术设计人员应该在理论素养与专业技术方面多下工夫，才能为创造优秀的艺术作品奠定基础。如何吸收中国传统文化中的精髓，是当代教育界与设计界关注的一个重要话题，也是设计师的一个重要使命。回顾中国古代不同的艺术时期，每个时期都有各自的时代性，如秦汉时期的雄浑，隋唐时期的大气，宋代的隽秀，元代的豪放，明代的典雅敦厚，清代的细致精美等，这些优秀精神元素都是我们可以借鉴与学习的（图5-2-1至图5-2-5）。

图 5-2-1　莲鹤方壶　青铜　春秋

图 5-2-2 三彩 唐

图 5-2-3 青瓷 宋

图 5-2-4　旗袍　清

图 5-2-5　《上下五千年》　石材浮雕　北京世纪坛

2. 国外优秀大师作品的学习与借鉴

随着工业化进程的不断变化，西方近现代绘画出现了很多风格，这些风格都可以为公共装饰艺术设计参考与借鉴。立体派风格代表毕加索、后印象主义代表凡·高、高更等，以及其他风格代表人物，如莫迪利亚尼、米罗、夏加尔等，这些艺术家的作品大多不是简简单单地具象表达，更多的是用一种全新的表达方式展现给观众（图 5-2-6 至图 5-2-9）。

不断体会古今中外各个时期的优秀艺术作品以及它们的内在构图方式与风格，可以丰富我们的艺术思维，对重新理解各种表现手法与艺术语言有着重要的帮助。只有对各种艺术表现手法不断地积累，才能最终灵活运用，形成自己的设计风格。

图 5-2-6 《三个女人》毕加索

图 5-2-7 《拜神的日子》高更

图 5-2-8 《小农夫》 莫迪利亚尼

图 5-2-9 卧像七号 青铜板 亨利·摩尔

南京部分地铁站公共装饰艺术设计得很有特色，它将地方文化与中国元素相结合，既有宣传本地文化的作用，又能激发本地区人民群众的文化认同与情感共识。如：《灯彩秦淮》体现了夫子庙喜气洋洋的感觉，突出了文化古都南京的历史文化品位，凸显了南京城市特色（图5-2-10）；《云彩地锦》通过南京特产云锦反映出南京地域文化特点（图5-2-11）；《金陵览胜》反映了南京的现状，气势恢宏，寓意南京的明天会更好（图5-2-12）；《民国叙事》用简洁的造型，单色勾勒出南京民国建筑，古朴而又现代（图5-2-13）；《明城遗韵》体现了南京古城墙的雄伟气势（图5-2-14）。

图5-2-10　灯彩秦淮　搪瓷钢板

图5-2-11　云彩地锦　云锦

图 5-2-12 金陵览胜 综合材料

图 5-2-13 民国叙事 锡青铜、搪瓷钢板

图 5-2-14 明城遗韵 石材

5.2.2 设计思维在创作中的作用

设计思维在创作中起着主导作用，贯穿于从设计构思草图的开始到最终的制作完成。它包括设计构思中的层层递进关系，也包括设计中的感性的、直觉的认识：一是感知身边的某些代表性的元素，二是构思如何将这些元素重新整理、改造、加工，并通过草图效果使其变成更加切实可行的预想图。在设计中，如何将纷繁复杂的各种元素合理地通过一定的表现形式组织到一起，这就需要充分利用设计思维。通过对建筑整体充分的理解与认识，创作者根据判断做出设计定位，考虑内容与建筑、空间的关系，内容材料与建筑空间的材料关系等，使之达到最终的完美效果。

5.2.3 创作中的设计形式

公共装饰设计中设计者对艺术设计作品是否融入了情感，是衡量公共装饰设计作品优劣的重要方式。情感会使装饰艺术设计作品更具魅力，它是通过创作中的设计形式来表现的。

1. 具象形式

具象形式是比较具体地、写实地表现某些物象的外在形式。一般非常接近生活，易被大多数人群识别。但具象也要遵循一定的形式法则，对物象也要做一定的加工与处理。随着照相机的广泛运用，现在的具象形式已不能充分展现它的优势。

2. 象征形式

象征形式是通过群体约定俗成的元素符号来暗示或隐喻某些情感。象征手法是公共装饰艺术设计比较常用的表现手法。如五福献寿中的"福"字是蝙蝠的谐音，象征幸福。

3. 浪漫形式

浪漫主义的形式设计也是公共装饰设计艺术中常用的一种表现手法（图5-2-15）。装饰艺术是人们内在情感的理想化的一种表达方式。因此，富有诗意的浪漫情怀与想象力，也可以激发创作人员的灵感，可以引导观者超越客观存在，将艺术审美从表层概念上升到精神愉悦的层面。

4. 抽象形式

抽象形式是通过对物象最本质元素的抽取，以表现内在含义为主，以特殊语言方式传递信息。

图 5-2-15　居埃尔公园

5.3 实训案例分析

5.3.1 草稿设计

1. 实地调研

下面四幅图为某海洋公司大厦大厅的浮雕草图设计。考虑到该公司的成立时间与年代，又结合该公司长年从事疏通河道与海道的工作特点，所以在设计浮雕时设计者将其历史文化与画面比较巧妙地结合在一起。设计者将解放桥（过去称之为万国桥）、河道疏通的管道以及最有名的疏通船只等元素相结合，并将该公司成立时的一个场景艺术再现出来，整个画面注重节奏与韵律的表现（图5-3-1至图5-3-4）。

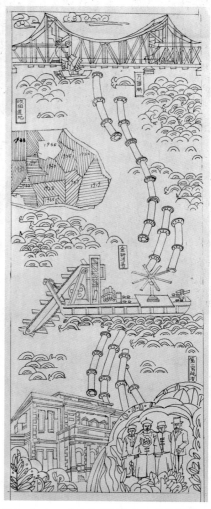

图 5-3-1　《历史的记忆》草图设计

图 5-3-2　《夏》草图设计

图 5-3-3 《春》草图设计　　　　图 5-3-4 《秋》草图设计

再以天津某律师事务所的内丙烯壁画为例。首先要了解事务所的功能，其次对受众人群进行分析，最后根据以上内容，通过查找资料以及现场考察，搜集原始壁画资料元素。因壁画的面向群体主要是从事律师行业的人，同时考虑到公司内部长期从事法律事务的专业氛围，甲方提出希望艺术设计作品能适当与行业结合并以轻松的效果展现。这些考察都是为了使未来的壁画作品与所处的周围环境空间相一致。

2. 信息综合

如图 5-3-5 和图 5-3-6，其设计的主题是以想象中的法庭与律师一天的生活相结合，融入天津的海河广场等一些建筑地标，运用比较明快、鲜艳的色彩，使画面既生动，又不至于混乱。

图 5-3-5　某事务所丙烯壁画设计一稿

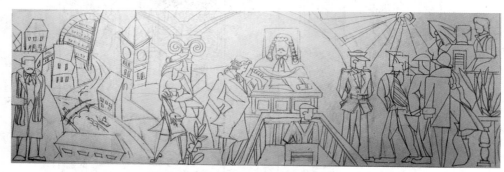

图 5-3-6　某事务所丙烯壁画设计二稿

3. 修改完善

构思草图之后要对画面逐渐完善与修改。如《雪域高原通火车》一稿（图 5-3-7）效果有些凌乱，要进行二稿整理，才能最终确定。经过二稿整理（图 5-3-8）之后，画面方逐渐显得有条理起来。其他设计也基本遵循此种方式。

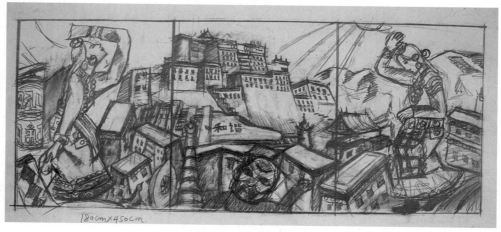

图 5-3-7　《雪域高原通火车》一稿

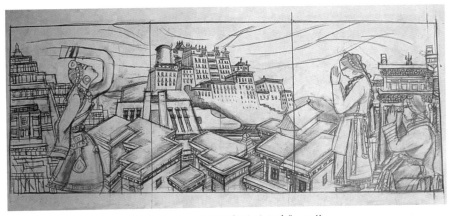

图 5-3-8 《雪域高原通火车》二稿

4. 色彩设计

通过色彩描绘平涂，完善装饰效果。如图 5-3-9，画面多以暖色调为主导，点缀冷色调，并用沉稳的灰色调过渡，使整个画面效果表现出欢快、轻松、愉悦之情。

图 5-3-9 某事务所丙烯壁画

图 5-3-10　草图设计

图 5-3-11　色彩设计

5.3.2 实物制作

在公共装饰设计中，实物制作亦是重要的一环。一种方法是通过打格方式来放大原图，这样的好处在于完全能够按比例放大，该方法适宜于一些要求严谨、画面比较复杂、写实性较强的设计稿；另一种方式就是在胸有成竹的情况下，直接重新起稿，这种方式适用于较随意的表现灵感与直觉性的画面（图5-3-12至图5-3-21）。

图 5-3-12　某事务所丙烯壁画局部 1

图 5-3-13　某事务所丙烯壁画局部 2

图 5—3—14 某事务所丙烯壁画局部 3

图 5—3—15 某事务所丙烯壁画局部 4

图5-3-16　某事务所丙烯壁画局部5

图5-3-17　某事务所丙烯壁画局部6

图 5-3-18 某事务所丙烯壁画制作现场 1

图 5-3-19 某事务所丙烯壁画制作现场 2

图 5-3-20　某事务所丙烯壁画安装现场 1　　图 5-3-21　某事务所丙烯壁画安装现场 2

图 5-3-22　某事务所丙烯壁画

5.3.3 最终效果

有些公共装饰艺术作品直接在建筑空间中完成，有些则是要制作完成后安装上墙的，所有这些作品通常都需要一个小组成员共同完成，考查的是设计者的组织能力和协调能力。因此，这项工作是个复合性的工程。由于创作场地临时改换，所以需要在一些面积上做添加，下图是最终效果（图 5-3-23 至图 5-3-28）。

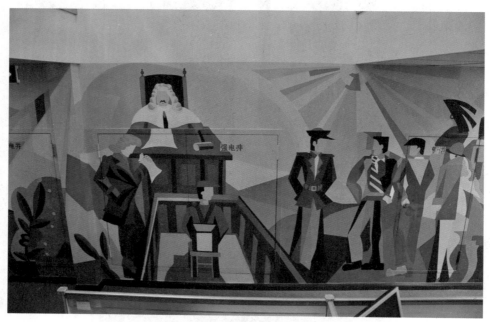

图 5-3-23　某事务所丙烯壁画局部 8

图 5-3-24　某事务所丙烯壁画局部 9

图 5-3-25　某事务所丙烯壁画局部 10

图 5-3-26　某事务所丙烯壁画局部 11

图 5-3-27　某事务所丙烯壁画局部 12

图 5-3-28　某事务所丙烯壁画局部 13

第6章 公共装饰艺术设计作品欣赏

图 6-1 地铁壁画1

图 6-2 地铁壁画2

图6-3 墙砖拼贴

图6-4 苗族刺绣1

图 6—5　苗族刺绣 2

图 6—6　桥体浮雕

图 6-7 刺绣艺术

图 6-8 民间刺绣

图 6-9 文艺复兴时期浮雕 1

图 6-10 文艺复兴时期雕塑

图 6—11　玻璃钢雕塑

图 6—12　文艺复兴时期雕塑 2

图 6—13　文艺复兴时期雕塑 3

图 6—14　马头雕塑

图 6—15　石材雕塑艺术

图 6-16　浮雕 1

图 6-17　浮雕 2

图 6-18　街边雕塑

图 6-19　《泼水节》　乔十光

图 6-20　孔雀壁画

图 6-21　彩绘云气纹漆钫

图6-22 《涿鹿之战》 王长兴

图6-23 门系列 玻璃 关东海

图 6-24 　《气、气、气、气》不锈钢　最上寿之

图 6-25 　《山高水长》纤维

图 6-26 壁画展

图 6-27 罗马壁画

图 6—28　壁画艺术

图 6—29　佛教壁画 1

图 6—30　佛教壁画 2

图6-31 加泰罗尼亚音乐礼堂 路易斯·多曼克

图 6-32 玻璃屏风 蒂法尼

图 6-33 北京 798 艺术区雕塑

图 6—34　着衣母婴卧像　青铜板　亨利·摩尔

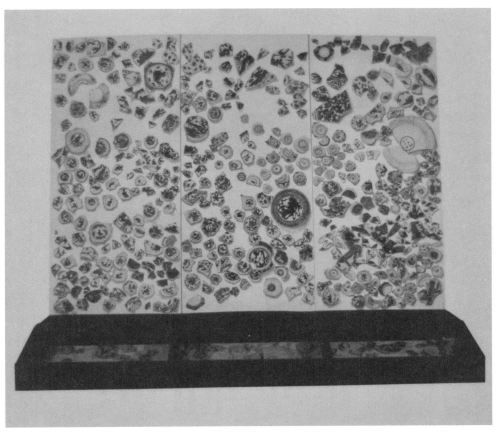

图 6—35　青花　王鹏

图 6-36　奥地利维也纳分离派展览馆

图 6-37　某酒吧丙烯壁画 1

图 6—38　丙烯壁画

图 6—39　将军罐　田晓冬

图6-40　某酒吧丙烯壁画4　　　　图6-41　某私人别墅丙烯壁画

图6-42　《雀巢》　田晓冬

图 6-43　某酒吧丙烯壁画 6

图 6-44　某私人会所丙烯壁画 1

图 6-45 某私人会所丙烯壁画 2

图 6-46 《翔》 丙烯画

图 6—47　北京地铁 5 号线某站壁画

图 6—48　北京地铁 4 号线某站　《欢天喜地》

图 6-49 现代屏风设计

图 6-50 现代壁画设计

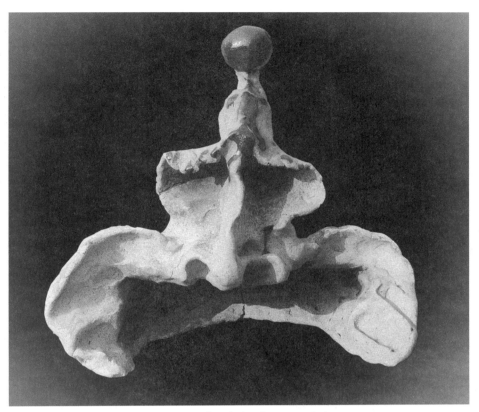

图 6-51 《西楚霸王》 田晓冬

图 6-52 《西部印象》 田晓冬

图 6—53　敦煌雕塑局部

图 6—54　北京世纪坛石雕壁画局部

图 6-55　马赛克拼贴壁画

图 6-56　米卢　田晓冬

图 6-57　田晓冬

图 6-58　田晓冬

车站设计模型三视图

主视图

顶视图

右视图

效果图

效果图

效果图

设计思路来源与演变

公交车站 方案设计

The bus stop station design

此次公交车站的设计灵感来自于植物花卉，取其柔和优美的外观造型为基准，配合流动型弧线，设计出了这款外观大方功能实用的公交车站模型。

整个车站设计分为两个部分，一部分为功能识别区域，以导车路标和公益广告为设计主体，另一部分以候车休息为主要功能，设计重点放在候车座椅及景观植物的构建上，力争做到两个功能分区各尽所职，可以从不同角度为候车市民提供出最大的便捷与方便。

效果图

效果图

姓名：渐灵蕊　学号：8134251　指导老师：田晓冬

图6-59　渐灵蕊　　指导老师：田晓冬

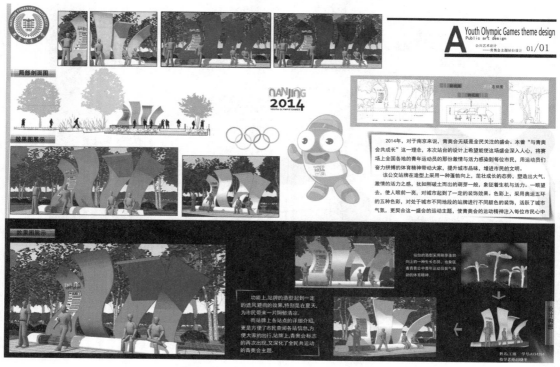

图6-60　王丽　　指导老师：田晓冬

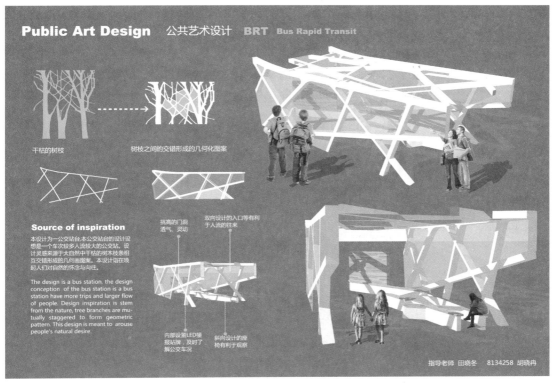

图 6-61　胡晓冉　车站　　指导老师：田晓冬

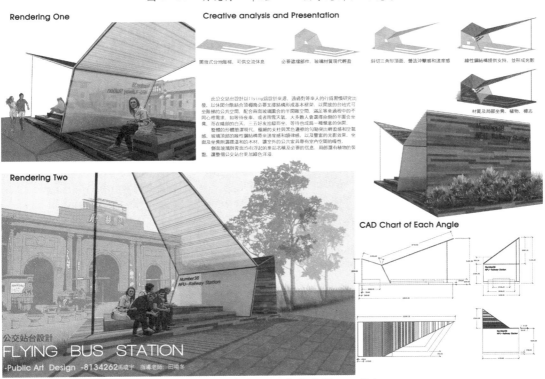

图 6-62　马晓宇　　指导老师：田晓冬

公交站臺設計
US STATION DESIGN

公交站臺的設計采用解構的手法，主要的鋼架結構成爲了公交站臺的核心，三種方案的設計在保留原有結構的同時，運用材質之間的變換造就了不同的視覺效果與使用感受，材質與材質之間的碰撞給人耳目一新的感覺。幾何的分割成爲了主要的設計綫索，内置的座椅不僅可供等屋的人休憩，簡潔的造型更是與幾何形體形成了對比。捨弃了傳統公交站臺的長方體的造型，簡潔的鋼架結構視綫通透，富于現代感。

本方案的不同之處在于將站臺信息放置于公交站臺的地上，制作成立體字形或凹凸感便于引起使用者的注意，凹凸的質感增加了材質的對比，使公交站臺不僅具有了形式感，又在功能上得到了很好的使用。

方案一主視圖

方案一左視圖

方案一俯視圖

方案二主視圖

方案二左視圖

方案二俯視圖

方案二主視圖

方案三左視圖

方案三俯視圖

方案二效果圖

方案一效果

图 6-63　東丁琛　　　指導老师：田曉冬

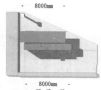
8000mm
8000mm
The Floor Plan

8000mm
4000mm
The Front View

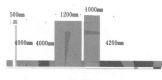
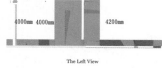
500mm　1200mm　4000mm
4000mm　4000mm　4200mm
The Left View

设计说明：
本设计在颜色上采用了中国传统颜色中国红，体现地域文化，在功能形体上采用现代简约的设计手法，体现现代城市特色，与中国红相结合，体现城市的活力。

姓名：王旭　　学号：8134266　　指导老师：田晓东

图 6-64　王旭　　　指導老师：田曉冬

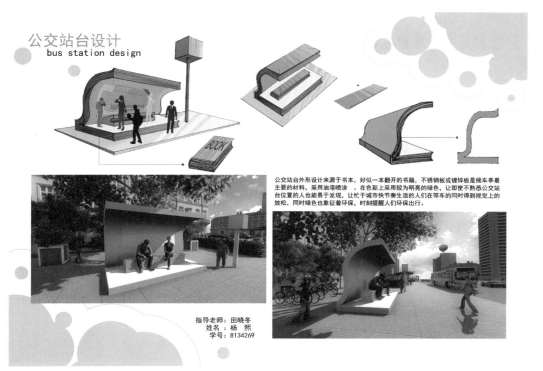

公交站台设计
bus station design

公交站台外形设计来源于书本，好似一本翻开的书籍，不锈钢板或镀锌板是候车亭最主要的材料，采用油漆喷涂 。在色彩上采用较为明亮的绿色，让即使不熟悉公交站台位置的人也能易于发现，让忙于城市快节奏生活的人们在等车的同时得到视觉上的放松，同时绿色也象征着环保，时刻提醒人们环保出行。

指导老师：田晓冬
姓名：杨 熙
学号：8134269

图 6—65　杨熙　　指导老师：田晓冬

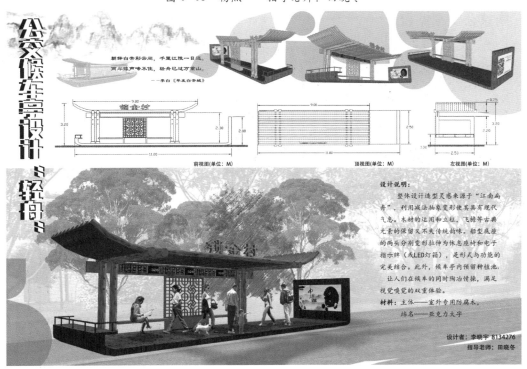

设计说明：
　　整体设计造型灵感来源于"江南扁舟"，利用减法抽象变形使其具有现代气息。木材的运用和立柱，飞檐等古典元素的保留又不失传统韵味。船型底座的两头分别变形拉伸为休息座椅和电子指示牌（或LED灯箱），是形式与功能的完美结合。此外，候车亭内预留种植池，让人们在候车的同时陶冶情操，满足视觉嗅觉的双重体验。
材料：主体——室外专用防腐木，
　　　站名——亚克力大字

设计者：李晓宇 8134276
指导老师：田晓冬

图 6—66　李晓宇　　指导老师：田晓冬

PUBLIC SPACE

这款公交车站是以树权、鸟巢为设计灵感和元素进行创作的。蓝与灰的经典配色，加上玻璃和不锈钢材质的对比，给人一种新鲜的体验感，让人有一个打破传统的等车环境。

The bus station is Tree branches, nest design Inspiration and create elements Made. Blue and gray by Code of color, plus a glass And stainless steel for Ratio, giving a fresh Experience a sense, people have A break with traditional waiting environment.

8134280 邹思雯   指导老师：田晓冬

图 6-67   邹思雯   指导老师：田晓冬

南京公交车站台
NANJING BUS STATION

项目主要背景在南京玄武区玄武湖公园周围，该区位主要片自然风光的优美景象，临城墙较近，主要表达一个城市的新与旧的结合

同时曲线式的方式更能体现城市的韵律与变化，同时表达一种前卫的思想。

设计说明：

本套设计主要为南京公交车站台，灵点来源于高迪的《米拉公寓》曲线形造型。高迪的设计风格反功能主义立场，追求建筑的精神力量和纯粹形式，被认为是一位充满幻想的浪漫主义建筑家。此案的设计设计自由的曲线造型，自由流畅的现行表达，与自然的流畅的曲线相呼应。简单的玻璃材质表现，通透的视点表达，主要表达一种城市条件下的的艺术感受和精神氛围的表达。

公交车站台俯视图

公交车站台前视图

公交车站台效果图

公交车站台效果图1

公交车站台效果图2

指导老师：田晓冬 姓名：马雨萌8144272

图 6-68   马雨萌   指导老师：田晓冬

设计说明：

南京公交车站台改造设计
NANJING BUS STATION DESIGN

三视图 THREE VIEW

Left view right view

front view

top view

设计构思 DESIGN CONCEPT

利用南京钟门建筑为原型，变形设计材料、变形设计目标，变形设计思路，设计出符合物理学要求的公交车站台。

RENDING ONE

原始照片

RENDING TWO

材料说明 Material description

不锈钢板
Stainless steel plate

镀锌钢管
Galvanized steel plate

钢化玻璃
The toughened glass

学号：8144276 姓名：崔健杰 时间：2015年5月 指导老师：田晓东

图 6—69 崔建杰   指导老师：田晓冬

南京市公交站牌设计
NANJING BUS STOP DESIGN

学号：8144286 姓名：董吉钰 指导老师：田晓冬

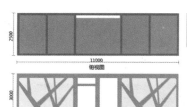

设计说明

公交站牌最小，但折射的意义却不小。城市的建设与发展，既要从宏观上把握整体的规划与布局，更要在微观上、细节上充分体现出人性化的规划和设计理念。小站台，可以成为城市新形象的一大亮点。多功能公交站台的存在，不仅仅为了满足乘客最基本的候车需求，更可以唱显一个城市的文化底蕴。此外，城市交通的变化、现代工业化建筑技术的发展、便捷式公众信息服务要求的提高也为公交站台设计提供了更多可能。

玻璃材质的运用使整个空间得更加通透轻盈。利用平面构成的原理设计了两块小景墙，增添了等待公交车时的趣味性。而座椅公共设施也是必不可少的，方便行人，做到人性化设计。

Nanjing bus stop design

图 6—70 董吉钰   指导老师：田晓冬

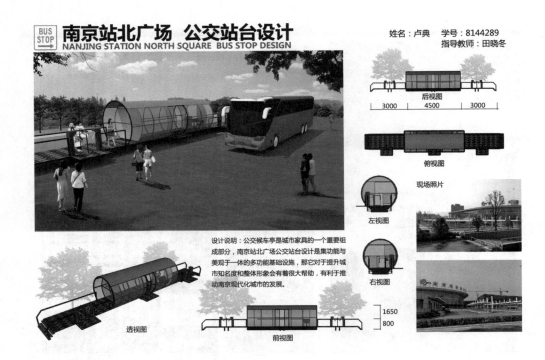

图 6-71 卢典 指导老师：田晓冬

图 6-72 葛建萍 指导老师：田晓冬

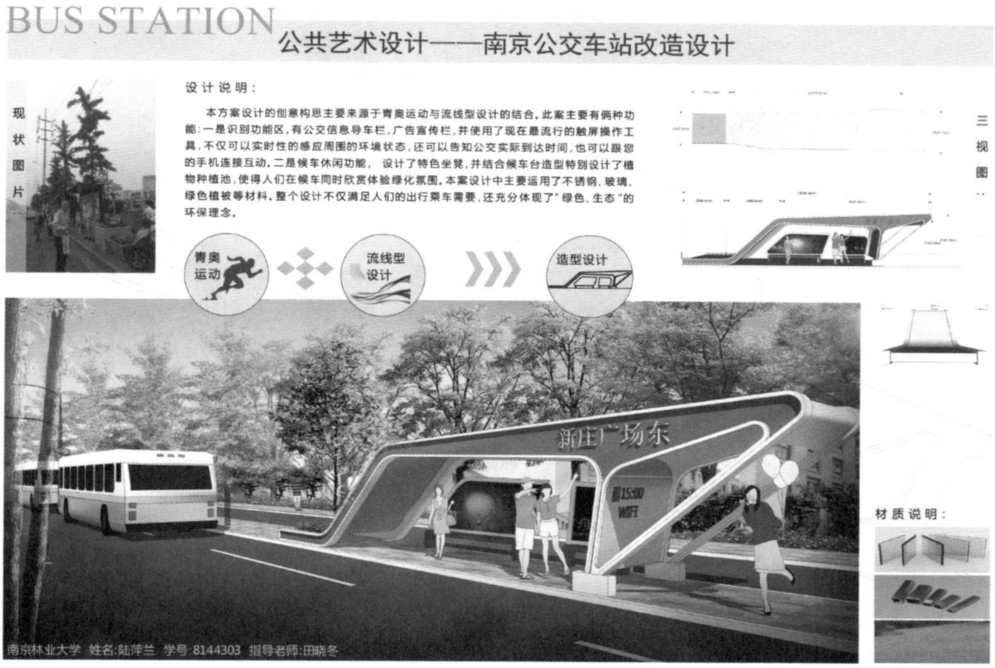

图 6-73 陆萍兰 指导老师：田晓冬

图 6-74 宋昱萱 指导老师：田晓冬

图 6-75　邹金秋　　指导老师：田晓冬

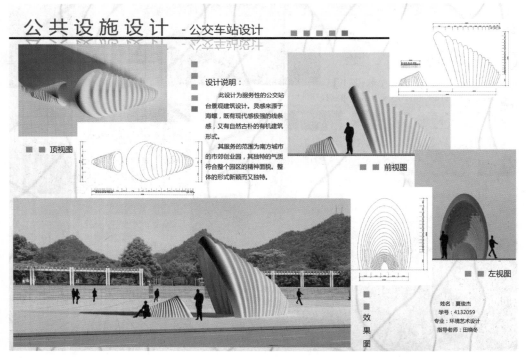

图 6-76　夏俊杰　　指导老师：田晓冬

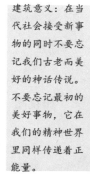

广场雕塑设计——凤凰齐飞

正视图

左视图

俯视图

姓名：周文涵
班级：n1113011
学号：24
指导老师：田晓东

建筑意义：在当代社会接受新事物的同时不要忘记我们古老而美好的神话传说。不要忘记最初的美好事物，它在我们的精神世界里同样传递着正能量。

效果图

材质：碳素钢
设计说明：凤凰起源于中国古代神话传说。是吉祥和谐的象征，是一种代表幸福的灵物。同时也有"夫妻"，"爱情"等美好寓意。总之，凤凰代表了一切美好的事物。运用传统的红色将中国古代传统的图腾元素融入雕塑中，象征着一种美好的精神。

图 6—77　周文涵　　指导老师：田晓冬

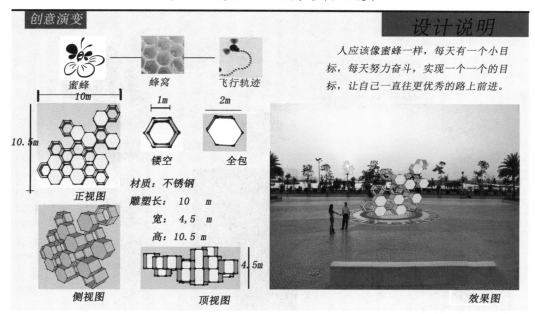

创意演变

蜜蜂　　蜂窝　　飞行轨迹

10m

10.5m

正视图

侧视图

1m
镂空

2m
全包

材质：不锈钢
雕塑长：10　m
　　　宽：4,5　m
　　　高：10.5 m

4.5m

顶视图

设计说明

人应该像蜜蜂一样，每天有一个小目标，每天努力奋斗，实现一个一个的目标，让自己一直往更优秀的路上前进。

效果图

图 6—78　左茜　　指导老师：田晓冬

图 6-79　戚国庆　　　指导老师：田晓冬

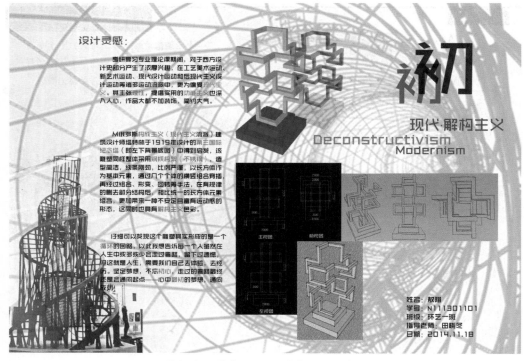

图 6-80　敫翔　　　指导老师：田晓冬

图 6-81 陈晨 指导老师：田晓冬

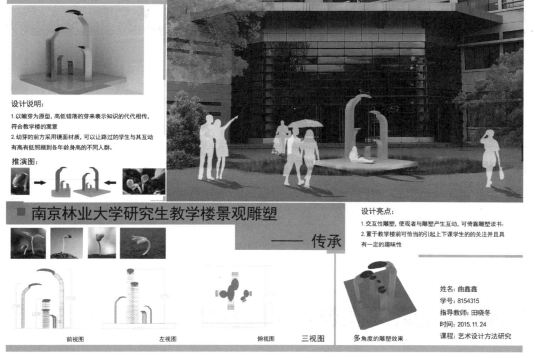

图 6-82 曲鑫鑫 指导老师：田晓冬

南京林业大学教五楼广场雕塑

设计说明：

该雕塑作品以小树苗和书、齿轮为灵感来源，以这三种元素结合在一起意味智慧的小树苗在校园里成长绽放。书做树干的形状，与智慧齿轮结合象征大脑在吸收了书本的知识后更加灵活。选用不锈钢材质。

设计构思

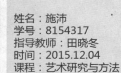

姓名：施沛
学号：8154317
指导教师：田晓冬
时间：2015.12.04
课程：艺术研究与方法

图6-83　施沛　　　　指导老师：田晓冬

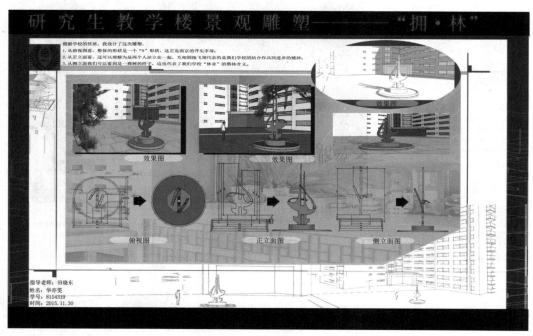

图6-84　华亦雯　　　　指导老师：田晓冬

南京林业大学研究生教学楼景观雕塑

设计分析：

该雕塑在造型上结合了翅膀和绸缎的原理，将翅膀的伸展和绸缎的柔美结合的恰到好处，整个雕塑除了硬朗的外观之外还带着些曲线的美感。与后面的直线条教学楼形成了鲜明对比，突出了雕塑的主体。

设计说明：

雕塑整体是一对翅膀的形状，又富有流线型的美感。从造型的设计到立意都无不在体现着自由、轻松、放飞的心态。教五楼是南京林业大学主要的教学楼，在此处放置该雕塑，意在让同学们在紧张的学习氛围之外能有个舒适的心理感受，达到劳逸结合的体验。

主视图　　　右视图

顶视图　　　透视图

主视图上色　　右视图上色

顶视图上色　　透视图上色

姓名：熊嘉妮　　指导老师：田晓东
学号：8154321　　班级：1512801

图 6-85　熊嘉妮　　　　　指导老师：田晓冬

南京林业大学 环境景观雕塑设计方案

三视图
Three Views

A、正视图
B、左视图
C、俯视图

设计说明
Interpretation

本雕塑神似一只朝气蓬勃的雄鹰，象征着校园里的莘莘学子在知识的海洋中尽情翱翔，同时也像一把正在燃烧的火炬，寓意着同学们挥洒自己青春的汗水；此外雕塑颜色采用鲜艳的红色，与林业大学大面积绿色形成鲜明对比，，从而突出雕塑物本体。

效果图展示
Effect Diagram

姓名：要琪
学号：8154322
专业：室内设计
指导老师：田晓冬

NJFU SCULPTURE DESIGN

图 6-86　要琪　　　　　指导老师：田晓冬

南京林业大学研究生教学楼景观雕塑设计
LANDSCAPE SCULPTURE DESIGN OF GRADUATE STUDENT BUILDING IN NANJING FORESTRY UNIVERSITY

设计说明
SPECIFICATION

1.此雕塑以大雁为题,形似火炬。南京林业大学绿树成荫,栖息着成群鸟儿。以大雁为设计元素,因为大雁吉敏雄健,群居为阵,重情义,不抛弃,象征着南林的历史底蕴和薪火相传的学习精神。

2.雕塑结构是由两层相互叠加缠绕的雁群组成,旋转而升,冲天而鸣。此雕塑入云霄望大地,不畏艰险,坚韧不拔,以此比喻南京林业大学今后蓬勃发展。

雕塑尺寸:4米　　　雕塑材料:不锈钢
制作工艺:锻造

姓名:曹羽乔
班级:1513801
学号:8154323
指导老师:田晓冬
时间:2015.11.23

图 6-87　曹羽乔　　　　　指导老师:田晓冬

效果图 01
Rendering One

设计构思与草图
Creative analysis and Presetation

设计说明
Design Description

本案为南京林业大学教五楼前的雕塑设计。学校以林科为特色,以资源生态和环境类学科为优势,因此设计来源于梅花和大雁。

大雁自古被视为"仁、义、礼、智、信"俱全的灵物,它们团结一致,飞越千里达到了难以实现的迁徙。因此雕塑以大雁为切入点,向广大的南林学子传达积极进取的大雁精神。

其次,雕塑以梅花为雏形。并暗合诗句"不计辛勤一视来,桃熟流丹,李熟枝残,花容易俏人难。幽谷飞香不一般,诗满人间,画满人间,英才济济笑颜开。"雕塑采用了向中心簇拥的形式,寓意南林学子团结一致,拼搏奋进、不断进取的学习精神。

雕塑三视图
CAD Chart Each Angle

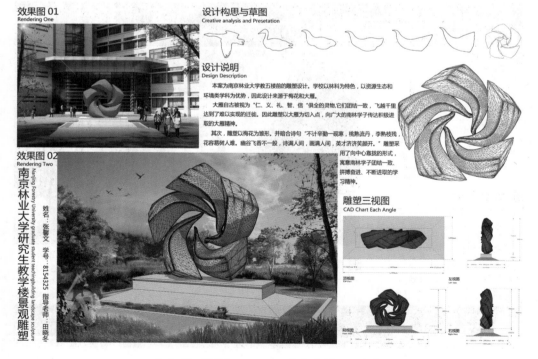

效果图 02
Rendering Two

南京林业大学研究生教学楼景观雕塑
Nanjing Forestry University graduate student teachingbuilding landscape sculpture

姓名:张馨文　学号:8154325　指导老师:田晓冬

图 6-88　张馨文　　　　　指导老师:田晓冬

图 6-89　赵艺婷　　　　　　指导老师：田晓冬

图 6-90　李静雅　　　　　　指导老师：田晓冬

图 6-91　沈路　　　　　指导老师：田晓冬

图 6-92　曾令仪　　　　　指导老师：田晓冬

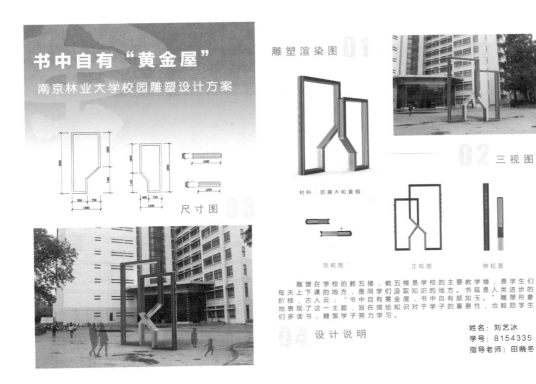

书中自有"黄金屋"

南京林业大学校园雕塑设计方案

雕塑渲染图 01

02 三视图

材料：防腐木和黄铜

尺寸图 03

顶视图 　　正视图 　　侧视图

雕塑在学校的教五楼，教五楼是学校的主要教学楼，是学生们每天上下课的地方，是同学们汲取知识的地方。书籍是人类进步的阶梯，古人云："书中自有黄金屋，书中自有颜如玉。"雕塑形象地表现了这一主题，旨在描绘知识对于学子的重要性，也鼓励学生们多读书，鞭策学子努力学习。

04 设 计 说 明

姓名：刘艺冰
学号：8154335
指导老师：田晓冬

图 6-93　刘艺冰　　　指导老师：田晓冬

图 6-94　焦红运　　　指导老师：田晓冬

创意来源

综合大学校园的开放性、互动性，由校园的最大功能——学习知识为出发点，体现学术氛围的营造。

从知识开始细化到知识的积累来源——"阅读"——"书籍"由书籍源远流长的历史发展体现知识的博大精深及学习知识的重要性。

效果图

意向图

意向图

| 姓名 | 孙雨 | 指导教师 | 田晓冬 |
| 学号 | 8154339 | 日期 | 2015年12月3日 |

三视图

区位图

顶视图

右视图

左视图

效果图

设计说明

雕塑整体由两部分组成，右侧为竹简造型，左侧是现代书籍造型。雕塑总高度为4m，长度为7.2m。材料上，将传统的竹简造型及青铜材质与不锈钢相结合，运用现代的设计手法赋予其时代性特征。同时为了增加雕塑与学生间的互动同时使造型上更加灵动飘逸，将竹简部分进行局部"打破"设计，给予其桥梁的造型概念，即书是通向知识的桥梁。

场地区位

场地位于南京林业大学教五楼门前，周边由教学主楼、逸夫楼及教五楼组成。位于校园主干道交叉路口。

南京林业大学研究生教学楼景观雕塑

图 6-95 孙雨　　　　　指导老师：田晓冬

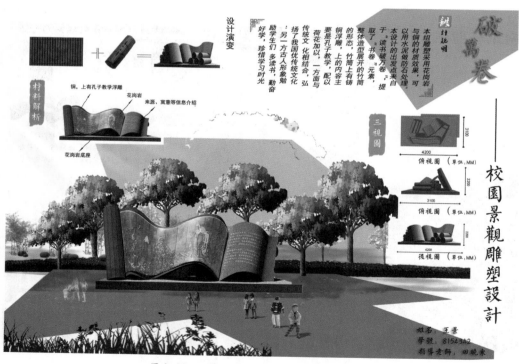

图 6-96 王景　　　　　指导老师：田晓冬

南京林业大学研究生教学楼景观雕塑

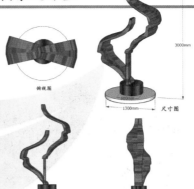

雕塑效果图

雕塑效果展示

设计元素

设计说明

1、本方案以展示南林学子青春活力、蓬勃的生命力为设计目的，以树叶、绸缎为设计原型，抽象提取树叶与绸缎的元素为设计素材，旨在表达年轻一代的生机与活力；

2、该雕塑的主体以锈金属材质为主，象征着陈旧与新生，其外形酷似两片新生的树叶，底座以花岗石为制作材料，整体设计风格简洁大方朴实却又不显俗气；

3、雕塑主体的两个分支，同是一处出现，却又相互以一种优雅的态势竞相生长，象征着南林莘莘学子一种不断的勤奋、团结、奋进的学术钻研态度与精神。

姓　　名：郑若楠	学　　　号：8154347	班　　级：1513801
指导教师：田晓冬	时　　间：2015年11月20日	

图 6-97　郑若楠　　　　指导老师：田晓冬

"飞翔"——南京林业大学研究生景观雕塑设计

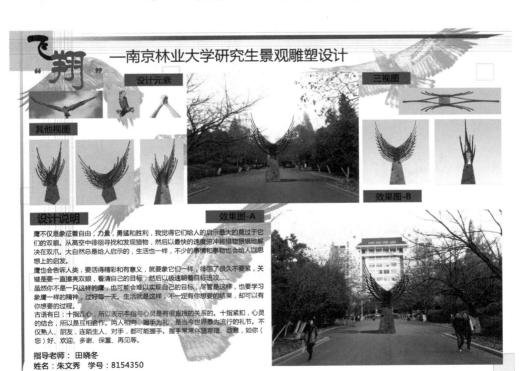

设计元素

三视图

其他视图

效果图-B

设计说明

鹰不仅是象征着自由，力量，勇猛和胜利，我觉得它们给人的启示最大的莫过于它们的双眼。从高空中徘徊寻找和发现猎物，然后以最快的速度俯冲将猎物狠狠地解决在双爪。大自然总是给人启示的，生活也一样，不少的事情和事物也会给人以思想上的启发。

鹰也会告诉人类，要活得精彩和有意义，就要象它们一样，徘徊了很久不要紧，关键是要一直擦亮双眼，看清自己的目标，然后以极速朝着目标进攻……

虽然你不是一只这样的鹰，也可能难以实现自己的目标，尽管是这样，也要学习象鹰一样的精神，过好每一天，生活就是这样，不一定有你想要的结果，却可以有你想要的过程。

古语有曰：十指连心，所以表示手指与心灵是有很直接的关系的。十指紧扣，心灵的结合，所以是互相合作，两人相向，握手为礼，是当今世界最为流行的礼节。不仅熟人、朋友，连陌生人、对手，都可能握手。握手常常伴随寒暄、致意，如你（您）好、欢迎、多谢、保重、再见等。

效果图-A

指导老师：田晓冬
姓名：朱文秀　学号：8154350

图 6-98　朱文秀　　　　指导老师：田晓冬

图 6-99 广场

图 6-100 广场

图 6-101 广场

图 6-102 建筑广场

图 6-103 广场装饰设计

图 6-104 广场设计

参 考 文 献

[1] 张延刚 . 壁画艺术与环境 [M]. 合肥：安徽美术出版社，2002.

[2] 赵兰涛，刘乐君，刘木森 . 综合材料艺术实验 [M]. 武汉：武汉理工大学出版社，2009.

[3] 丁韬 . 图案与装饰设计 [M]. 石家庄：河北美术出版社，2008.

[4] 紫图大师图典丛书编辑部 . 新艺术运动大师图典 [M]. 西安：陕西师范大学出版社，2003.

[5] 杨玲 . 现代壁饰设计与制作 [M]. 重庆：西南师范大学出版社，2001.

[6] 庄子平 . 图案配色经典 [M]. 北京：北京工艺美术出版社，2005.

[7] 袁维忠，邬烈炎 . 现代屏风艺术 [M]. 南京：江苏美术出版社，2002.

[8] 陈靖，龚东庆 . 图案设计与实训 [M]. 南宁：广西美术出版社，2010.

[9] 保彬，张连生，单德林 . 装饰艺术精品集 [M]. 北京：中国轻工业出版社，2002.

[10] 福建美术馆 . 乔十光漆画艺术 [M]. 福州：福建美术出版社，2007.

[11] 张耀来 . 张耀来壁画手稿 [M]. 天津：天津大学出版社，2009.

[12] 中国美术家协会 . 第十一届全国美术作品展览·壁画作品集 [M]. 北京：人民美术出版社，2009.